D1058258

OCTAVIO PAZ

GRANDES MEXICANOS ILUSTRES

OCTAVIO PAZ

Juan Gallardo Muñoz

DASTIN, S.L.

Polígono Industrial Európolis, calle M, 9
28230 Las Rozas - Madrid (España)
Tel: + (34) 916 375 254
Fax: + (34) 916 361 256
e-mail: info@dastin.es
www.dastin.es

Edición Especial para:
EDICIONES Y DISTRIBUCIONES PROMO LIBRO, S.A. DE C.V.

I.S.B.N.: 84-492-0336-8
Depósito legal: M-15.919-2003
Coordinación de la colección: Raquel Gómez

Impreso en España - Printed in Spain

Entre el hacer y el ver,
acción o contemplación;
escogí el acto de palabras:
hacerlas, habitarlas,
dar ojos al lenguaje.
La poesía no es la verdad:
es la resurrección de las presencias,
la historia
transfigurada en la verdad del tiempo no fechado

Octavio Paz

PRESENTACIÓN

La figura de Octavio Paz no necesita, en realidad, presentación alguna. Se presenta por sí sola, por su grandeza personal y por la enorme dimensión de su obra.

Este gran hombre, diplomático, poeta y ensayista, traductor del teatro de Ionesco y hasta traductor de la poesía japonesa, entre tantas y tantas actividades de su infatigable pluma y de su inmensa capacidad humana e intelectual, acaparador de los mayores premios internacionales, hasta llegar al máximo reconocimiento mundial, como es el Nobel, es tal vez uno de los grandes mexicanos ilustres de este pasado siglo, como lo será del actual y de los venideros, porque su magna obra ya nunca nos dejará, afortunadamente para todos nosotros, los que podamos gozar de ella.

La obra y la postura personal de Octavio Paz se hallan situadas en una perspectiva crítica de la modernidad, que se combina en ocasiones con sus experiencias religiosas orientales. No debemos olvidar que residió en las India durante más de diez años, y allí descubrió y asimiló muchas cosas que iban a influir decisivamente en su perspectiva, no ya de la propia literatura sino de sí mismo y de su entorno.

Tiene una especie de enfrentamiento constante con las tradiciones literarias, movimientos, autores, libros y pintores, que se refleja nítidamente en casi toda su obra. Ya desde muy joven demostró su espíritu rebelde, que le hizo participar en numerosas manifestaciones y actos de protesta, sobre todo en su período estudiantil, formando parte de movimientos políticos encaminados a conseguir la autonomía universitaria.

Sus posteriores vivencias durante un período tan agitado como fue la Guerra Civil española, que él vivió muy intensa y directamente, puesto que residió en España durante aquel período, concretamente en el Madrid republicano, dejarían en él y en su pensamiento y obra una muy profunda huella bien visible en sus trabajos y en sus ideas.

No ha sido nunca un autor fácil, por lo que no es de extrañar que su amplia obra, poética o no, hayan dado pie a controversias y discusiones dondequiera que hayan sido editadas, y que por cierto han sido innumerables países de todo el mundo, ya que han sido traducidas a toda clase de idiomas.

Octavio Paz ha cultivado toda clase de géneros, si bien pueda destacar por encima de todo en la poesía, su género predilecto y el más utilizado por el autor, pues su obra abarca tanto los poemas como los ensayos sobre historia, arte, antropología, etc., y también hay numerosos libros suyos dedicados a la crítica política y literaria, y ha sido también biógrafo.

En suma, nos hallamos ante uno de esos creadores que dejan huella por dondequiera que pasan, y no ya por los grandes y merecidos galardones que les hayan otorgado, sino porque su creación literaria va más allá de los límites habituales, y cuya riqueza de matices y su humanismo quedan impresos para siempre en sus lectores, que son legión en el mundo entero.

Sus obras se pueden encontrar hasta en treinta idiomas diferentes, lo que da una idea de la expansión mundial que la creatividad literaria de Octavio Paz ha llegado a tener a lo largo y ancho de todo el planeta. Mentalidades muy distintas y razas muy diversas, con pocos factores comunes entre sí a veces, han sabido del mismo modo apreciar y admirar, cuando no discutir, por supuesto, los escritos de este auténtico genio de las letras, verdadero orgullo para su país natal, el México que le vio nacer o morir, y que siempre estuvo presente en su pensamiento, pese a lo variopinto de su educación y de su vida, transcurrida en latitudes a veces muy alejadas de su patria.

Vamos a intentar reflejar aquí, en la medida de lo posible, todo cuanto ha sido y ha significado Octavio Paz, tarea no demasiado sencilla y que probablemente escape a nuestras modestas capacidades, porque él ha sido siempre, por naturaleza, un personaje difícil de encasillar o de describir plenamente, así como un escritor tan diverso y tan amplio de miras, que no es trabajo fácil poder expresar su verdadera dimensión humana y literatura.

Eso sí, cuando menos lo intentaremos con la admiración profunda y con el hondo afecto que nos ha despertado desde siempre su vida y su obra, a veces tan unidas entre sí que forman un entramado sutil, intenso y profundo que las une de forma intangible pero bien real.

Fue un autor precoz —sus primeros trabajos ya los publicó cuando solamente contaba diecisiete años apenas cumplidos—, quizá porque ya de niño tenía algo que decir y, además, sabía cómo decirlo. La precocidad suele ser casi siempre presagio de genialidad, se ha dicho en ocasiones, aludiendo a casos como el de Juan Amadeo Mozart, por ejemplo, aunque no siempre se han dado muchas circunstancias y grandes artistas precoces surgieron incluso en la infancia, deslumbrando a los que les rodeaban con su aparente genio, para luego, al ser adultos, diluirse en la nada.

Ciertamente, no fue ese el caso concreto que hemos mencionado del gran Mozart y de tantos otros como él, y no iba a serlo en modo alguno en el de Octavio Paz, porque sus precocidades literarias en épocas estudiantiles eran solamente el indicio de lo que estaba por venir, el despertar del gran poeta y escritor que iba a ser andando el tiempo.

Su modo de ser y de pensar no iban a facilitarle precisamente las cosas en la vida, por lo que puede decirse que muchas veces serían las que luchara contra corriente, abriéndose paso gracias a su propia valía y no a apoyos o influencias ajenos, que ni buscó ni, tal vez, supo o quiso encontrar.

Ya hemos mencionado que era persona rebelde, sobre todo con las injusticias sociales y con determinados modos de gobierno, por lo que la política condicionó en gran medida su vida y su trabajo, ya que se puede decir que en muchas ocasiones tuvo más enemigos que amigos, por ser fiel a sí mismo y no ceder ante ciertas actitudes totalitarias o represivas de las épocas en que le tocó vivir.

Su mentalidad, en ese aspecto, chocaría en demasiadas ocasiones con los puntos de vista oficiales, cosa que a él, sin duda, le traía perfectamente sin cuidado, pues le gustaba mostrarse tal como su conciencia le dictaba que lo hiciera, sin importarle jamás las consecuencias de su modo de ser y de pensar.

Por todo ello, resulta aún más admirable que pudiera abrirse camino, pese a todo, sin importarle hacerlo en un clima hostil hacia su persona. Lo singular de su caso es que no por ello resultó nunca panfletario o dominado por sus ideas políticas y sociales, motivo por el cual la mayor parte de su obra en nada se ve influenciada por esas tendencias personales suyas, sabiendo diferenciar muy bien entre lo que eran sus sentimientos personales y lo que significaba y era su obra literaria.

Influido por el anarquismo y por las teorías revolucionarias, propias de su tiempo, no resulta extraño que entre sus amistades hubiera ilustres zapatistas, y que el zapatismo hiciera mella en él y en su pensamiento, sobre todo en su época juvenil, y a pesar de pertenecer a una familia burguesa.

Después de todo, en aquellos tiempos, ¿qué joven con ideas e inquietudes sociales y políticas no iba a verse arrastrado, aun sin quererlo, por el ideario de Emiliano Zapata y de sus más fieles seguidores, cuando precisamente Zapata simbolizaba tantas y tantas cosas románticas, tantos sueños de libertad y de justicia social, tantos anhelos del pueblo llano, capaces de hacer mella ineludiblemente en la juventud de la época?

Téngase en cuenta, además, que el propio padre de Octavio fue un zapatista acérrimo, que conoció personalmente al gran líder revolucionario de Morelos y que llegó a hacerse un incondicional del guerrillero mexicano. Todo eso, inevitablemente, tenía que moldear el carácter y las ideas del joven Octavio, rodeado por aquel ambiente prorrevolucionario.

Muchos años más tarde, cuando Zapata ya era solamente historia —aunque siempre ha sido historia viva, eso sí, incluso ahora mismo—, Octavio demostraría que muchos de aquellos inicios de rebeldía natural seguían latentes en su interior, llevándole a tomar decisiones radicales, nada beneficiosas para su carrera, pero que su corazón y su espíritu indomables le obligaban a adoptar, costaran lo que costaran.

En su momento llegaremos a ese punto, porque faltaban aún muchos años para que tales cosas sucedieran, y antes de todo ello la carrera literaria de Octavio Paz iba a conocer momentos felices, se iba a ir desarrollando su poderosa fuerza interior, derramada en hermosos versos y en generosas palabras, en un torrente verdadero de creatividad y de grandeza literaria como pocas veces se ha visto en la era moderna.

También a él le faltaban por vivir, desde sus tiempos adolescentes de ilusionado zapatista, muchas otras experiencias, unas altamente positivas y otras dolorosamente negativas, pero de todas las cuales iba a saber sacar partido gracias a la exuberante fuerza de su inspiración creadora.

Intentaremos narrar todo eso puntual y fielmente. Ojalá seamos capaces, como mínimo, de ser unos dignos biógrafos de la vida y de la obra de ese genio de las Letras españolas que fue Octavio Paz.

Primera Época
Los años 20

Capítulo I

Octavio Paz Lozano. Era su nombre. Hijo de padre mexicano y de madre española. Octavio Paz Solórzano se llamaba su padre. Josefina Lozano, su madre.

Su abuelo fue Ireneo Paz. Tanto su abuelo como su padre eran zapatistas convencidos, de ideas revolucionarias muy acendradas, cosa no demasiado habitual en la clase social y económica en que se desenvolvía la familia Paz, ya que eran personas de clase burguesa, y la mayoría de burgueses, incluso muchos amigos y vecinos suyos, distaban muy mucho de ser simpatizantes de ningún revolucionario.

Era el año 1914 cuando nació Octavio. Justamente el 31 de marzo de 1914. Un «Aries», según comentó alguien de su entorno que ya creía en eso de los signos del Zodiaco, aunque todavía no estuviera la cosa tan de moda como ahora.

Y si era un buen «Aries», decían, era un niño destinado a hacer grandes cosas, pero, sobre todo, a tener carácter, mucho carácter. Si su signo zodiacal decía realmente eso, algo de verdad hubo en ello, andando el tiempo. Lo que es carácter no le iba a faltar. Y la posibilidad de hacer grandes cosas, tampoco.

Aunque nacido en la ciudad de México, iba a tener una especie de segunda «patria chica» en otro lugar del país, por razones de los tiempos que tocaban vivir, y también, sobre todo, por la ideología política de su padre. Ese otro lugar, que para él fue como un segundo lugar de nacimiento durante el resto de su vida, y al que iba a profesar, por tanto, un amor muy especial y entrañable, fue la población de Mixcoac.

Todo tiene su explicación. Mixcoac no era un sitio demasiado alejado de la ciudad de México, pero sí era un pueblo independiente de la gran urbe —hoy en día eso ya no es así, y Mixcoac, por eso de las ampliaciones urbanas y las expansiones de las grandes ciudades, forma parte de la ciudad de México, y no de los más atractivos.

Pero entonces las cosas eran muy diferentes, y Mixcoac era un pueblecito que, para Octavio, tenía mucho de delicioso y un considerable encanto, ya que era allí donde su buen abuelo Ireneo residía. Y su abuelo tenía mucho que ver en aquel cambio de residencia de la familia Paz, aunque quien más tuviera que ver en el asunto fuera su padre, Octavio, y sobre todo, cómo no, el mismísimo Emiliano Zapata, aunque de forma indirecta.

Porque lo cierto es que 1914 era tiempo de lucha, la Revolución estaba en su apogeo, y el padre del niño Octavio, en sus afanes revolucionarios, corrió a unirse al movimiento zapatista, allá en el sur del país, dejando a su mujer con el niño, para que se refugiaran en Mixcoac junto al abuelo Ireneo, el verdadero patriarca de los Paz y hombre que amaba profundamente a los suyos y estaba particularmente encariñado con su nieto Octavio.

Así, refugiados allí, en la casa del abuelo, mientras su padre luchaba junto al legendario Zapata en Morelos, transcurriría parte de la juventud de Octavio y la totalidad de su niñez. No es de extrañar, por tanto, que aquel pueblecito vecino a México le fuera siempre tan querido, e incluso le dedicara algún día uno de sus versos, uno de cuyos párrafos decía:

> *«Mixcoac fue mi pueblo: tres sílabas nocturnas, un antifaz de sombra sobre un rostro solar...».*

No hay duda de que en su niñez no echó de menos la vida en la gran ciudad y se adaptó maravillosamente a la vida en el pueblo, en la casa solariega de los Paz, lejos de aquel frente turbulento donde su padre se encontraba ahora, combatiendo por la causa, codo con codo con el mito viviente del gran Emiliano.

Vivía en un barrio del pueblo, llamado San Juan, no lejos de una bonita iglesia, una de las más antiguas del lugar, construida en el siglo XVI. Lo cierto es que en el pueblo abundaban las casas antiguas, por algo Mixcoac había sido durante mucho tiempo lugar de reposo para las familias de la alta burguesía de la capital.

También su abuelo había acostumbrado a hacer como todos esos burgueses, ya que habitualmente había residido en la capital, utilizando sólo esporádicamente su casa campestre para pasar algunas temporadas más tranquilo, alejado del bullicio de la gran ciudad.

Ahora era distinto. Muy distinto, en realidad. Ya no se trataba de simple capricho. Ireneo Paz, ante lo agitado de los momentos que le tocaba vivir al país, y que de forma inevitable afectaban, y mucho, a la vida capitalina y al ambiente de la ciudad, había optado por hacer de su vieja casa campestre de Mixcoac su residencia fija. Y ahora, con más motivo, al estar acompañando a su nuera y a su nietecillo Octavio, que era feliz compartiendo sus horas de estudio en la escuela local con sus infantiles correrías por el campo o por las soleadas calles del pueblo, con otros muchachos de su misma edad.

Para ellos, como niños que eran, la guerra, la Revolución, era cosa de los mayores, conversación de sobremesa, cuando no sobresalto por las noticias llegadas del sur o del norte del país, que tanto parecían alterar al buen abuelo, siempre pendiente de los ecos que llegaban de los diversos frentes, pero sobre todo, como era natural, de aquel sureño donde Emiliano Zapata se batía con los federales, y donde su hijo formaba parte de la guerrilla revolucionaria, llevado por sus ímpetus y su admiración hacia el líder de Morelos.

Eran malos tiempos para todo México, pero para el niño Octavio, en el reducido ámbito del pueblo, las cosas llegaban lejanas, distantes, con ecos a veces tan reducidos y tan incomprendidos para su mente infantil, que no llegaba a darse exacta cuenta del dramatismo del momento, salvo cuando veía alguna lágrima en los ojos de su madre, o alguna sombra de preocupación en el rostro arrugado de su abuelo. Entonces, sí, creía darse cuenta de que algo malo podía suceder en cualquier momento.

Y eso que doña Josefina, su madre, era mujer de pocas palabras, enemiga declarada de los comadreos habituales entre las damas de un pueblo, y eran escasas las alusiones que de sus labios salían en referencia a la guerra o a cualquier otro tema, especialmente si no era de su agrado. Obviamente, el pensar en lo que su marido estaba haciendo allá en el sur no lo era en absoluto, aunque comprendía y respetaba sus ideales.

Cuando alguien se refería a los revolucionarios con alguna frase crítica o inoportuna, doña Josefina se limitaba a eludir el tema y a esbozar una sonrisa cuando surgía una discusión demasiado apasionada o que no era de su gusto. Mujer prudente y callada, prefería guardarse para sí sus sentimientos que exponerlos en voz alta ante los demás.

Su hijo rara vez la vio molesta con nadie o enfrentada a persona alguna, aunque se sacara a colación el tema político que les había llevado a cambiar de residencia. Ella decía que había que ser siempre persona modesta y aceptar las cosas como venían, aunque no humillarse nunca ante nadie.

Octavio crecía así en un ambiente familiar sobrio, discreto y callado, con una abuelo que era un gran amante de la lectura y de los libros, e incluso era ya un precedente en la familia, porque sus aficiones literarias le llevaban a escribir. Don Ireneo llegó a dirigir un periódico y escribir novelas de corte popular, lo que para el niño Octavio le convertía en una especie de personaje mítico, al margen del profundo cariño y el gran respeto que por su abuelo sintió siempre, y que creció aún más en aquellos años vividos a su lado en el pueblo.

Tal vez por ello impactó tanto en él la figura del abuelo, que encarnaba muchas de las cosas que él anhelaba y con las que secretamente soñaba en aquella niñez hecha de juegos, estudios y, sobre todo, lecturas.

Porque Octavio leía de un modo casi compulsivo, y la cosa tiene su explicación, sobre todo en un pequeño lugar donde no todo el mundo sabía leer y donde no siempre era tarea fácil encontrar un libro, al margen de aquellos del colegio. Don Ireneo era tan entusiasta de la lectura, tan amante de todo lo literario que, no conforme con escribir sus cosas —incluso llegó a escribir un libro que le proporcionó pingües beneficios durante bastante tiempo, en momentos tan duros como aquéllos, para mejor sustento de toda la familia—, había llegado a reunir en su casa una considerable biblioteca, donde se entremezclaban toda clase de obras y estilos literarios, desde los autores de renombre universal a los literatos mexicanos, pasando por la novela juvenil o de aventuras, que también podía hallarse abundantemente en sus estanterías.

Era época en que lo más adecuado para un muchacho eran las obras de un Emilio Salgari, un Walter Scott, un Alejandro Dumas o un Daniel De Foe. Aquellos autores lograron embelesar al joven Octavio, inmerso durante horas en aquellos mundos de capa y espada, de viajes fantásticos, de gestas heroicas o de exóticos confines, donde la aventura parecía cosa natural, casi inevitable.

Personajes como D'Artagnan y sus mosqueteros, *Ivanhoe* o *Quintin Durward, Sandokan* y sus *Tigres de Mompracem, El Pirata Negro* o *Buffalo Bill* y los indios norteamericanos en las grandes praderas del Oeste, llenaban su imaginación de fantasía y le hacían soñar con mundos dispares y lejanos. Le fascinaban, particularmente, como una premonición de su futuro en la vida, los temas relativos a Oriente, ya fueran sobre la India o sobre China y Japón, por ejemplo. Kipling y sus obras eran en gran medida sus favoritas, porque le mostraban un mundo distinto y fascinante, en el que a veces se sentía inmerso a través de la lectura, imaginándose cómo sería en realidad.

El tiempo iba a darle muchas de esas respuestas que de niño y de muchacho se hiciera sobre tan lejanas latitudes, pero eso él aún no podía ni imaginarlo, rodeado por aquellas casas solariegas, aquella decadencia de los viejos muros de la casa del abuelo, que ya iban acusando en exceso los efectos del tiempo, o en las soleadas calles de Mixcoac, tratando de imitar a los caballeros de capa y espada, a los pieles rojas del Far West o a Mowgli y sus amigos de la jungla.

Tampoco los libros de autores nativos le eran extraños. Es más, los leía con fruición, sabedor de que en su país las cosas no eran tan fáciles para los escritores como podían serlo en otros lugares, como los Estados Unidos o algunas naciones de la lejana Europa. Le apasionaba la literatura autóctona, porque se sentía profundamente mexicano en realidad.

Pero, curiosamente, también le fascinaba el otro lado de su personalidad, tal vez por la voz de la sangre materna, y eran muchas las veces que repasaba y consultaba la voluminosa *Historia de España* que don Ireneo conservaba entre sus libros. Sabía que una parte de él era española, y aunque se sentía mucho más mexicano que otra cosa, le atraía con una especial curiosidad ese otro país de donde procedía su madre.

Fue ésta quien le explicaba en ocasiones que sus abuelos maternos, los padres de ella, eran gente del Puerto de Santa María y de Medina Sidonia. Soñaba también con llegar a conocer algún día aquellas regiones de que su madre le hablaba a instancias suyas, seguro de que encontraría también en ellas algo de sí mismo, al margen de lo que eran y pensaban sus familiares paternos que, aparte de sus inclinaciones liberales, demostraron siempre ser sobre todo indigenistas. Es decir, poco menos que antiespañoles.

Don Ireneo formaba parte de esa familia paterna, aunque no solía hablar mucho del tema, tal vez porque él era el menos radical en cuanto a esas cuestiones, y por respeto a su nuera y a la sangre de su nieto, así como al hecho de que su hijo Octavio hubiera elegido una mujer española como esposa, se guardaba mucho de exponer opinión alguna al respecto. Si era un antiespañol, nunca lo dejó entrever, y menos delante de doña Josefina y del pequeño Octavio.

Éste era el ambiente en que se movía la infancia y parte de la adolescencia de Octavio Paz. Como se ve, pese a lo limitado de los horizontes locales, éstos se abrían y expandían por la magia de la lectura, y los ojos y la mente de Octavio podían ir mucho más allá de lo que sus ojos veían, gracias a aquellas páginas impresas que él devoraba incansable, empapándose de toda clase de literatura. Entre las obras de la biblioteca de don Ireneo había, por supuesto, también algunos de los llamados «libros prohibidos», sobre temas no demasiado adecuados para un lector infantil o juvenil.

Pero como casi nadie prestaba excesiva atención al muchacho cuando se sumergía en el mundo de la fantasía impresa para devorar las páginas allí encerradas, lo cierto es que también esos libros pasaron por sus manos y fueron ávidamente leídos por él, sin que persona alguna se enterara de ello.

Curiosamente, sin embargo, el libro favorito de Octavio distaba mucho de poder ser hallado entre los volúmenes alineados en las repletas estanterías de don Ireneo. Era el álbum de su tía Amalia Paz, hermana de su padre, una solterona empedernida, seca y poco atractiva, de extraño carácter, a veces huraño, a veces jovial, apasionada por la lectura de novelas europeas, especialmente francesas. Eran libros pasados de moda, novelones que a Octavio nada le decían, pero que a ella parecían entusiasmarle, tan decadentes como podía serlo ella misma ahora, a su avanzada edad.

Tía Amalia gustaba así mismo de narrar historias; Octavio nunca supo a ciencia cierta si sabidas a través de alguna de sus extrañas lecturas, o invención de ella misma, pero que a él lograban seducirle, porque tenían un algo de misterioso e inquietante. Ella, como mujer de edad avanzada que era, y solitaria por naturaleza, parecía encontrar en la compañía del muchacho una especie de alivio a su propia soledad, y el chico, encantado de la vida, se sentaba ante ella, dispuesto a inquietarse y hasta asustarse a veces con los relatos de su tía, que eran otra forma de entrever mundos nuevos y sentimientos distintos.

Lo que los relatos de la anciana pudieran tener de tenebroso o de incómodo, lo tenían también de fantástico, y una cosa iba por la otra, con lo que la siempre despierta e inquieta mente de Octavio se abría a nuevas expresiones que no siempre se podían hallar en las páginas de un libro.

El colegio era otro de los lugares inevitablemente habituales en su vida cotidiana. Se trataba de un edificio grande, destartalado y sólido, no lejos del río y de la estación de tranvías. Era escuela primaria oficial, exclusivamente para varones.

Allí conoció Octavio otra de las grandes aficiones de su juventud, que nunca olvidaría: el deporte.

Capítulo II

El colegio para niños era, como casi todos las escuelas de entonces, más bien triste que otra cosa. Aquel viejo edificio, en parte maltrecho por el paso del tiempo, pero al menos dotado de grandes ventanales por los que entraba abundante luz, haciéndolo menos sombrío de lo que hubiera podido ser, tenía al menos la virtud de poseer en su interior una serie de excelentes canchas para practicar el *basketball*.

Octavio se aficionó pronto a este deporte, que practicaba cuantas veces le era posible, y a través del mismo pudo hacer grandes amigos entre otros alumnos del centro, tan aficionados a la canasta como él mismo.

No resulta sorprendente que, pese a ser un simple colegio de pueblo, albergara a estudiantes de una cierta categoría, puesto que por esa época los centros docentes dependientes del Gobierno poseían en México un bien ganado prestigio, ya que el profesorado era eficiente, el trato a los alumnos inmejorable, la disciplina interior nunca excesivamente severa, aunque sí eficiente, y pese a existir otros colegios de naturaleza privada, no tenían éstos nada que envidiar a los centros oficiales de enseñanza, por lo que muchas familias, incluso pudientes, cuando no de la alta burguesía, preferían una escuela pública a cualquier otro lugar, por mucho que fuera su prestigio.

Existían allí dos centros privados igualmente importantes y de calidad, uno francés y otro inglés, al primero de los cuales se le apodaba, más afectuosamente que por desprecio, como «El Zacatito». En él había estudiado Octavio sus primeros cuatro años de enseñanza primaria, y fue allí donde aprendió asignaturas diversas, algunas de las cuales le facilitaron aprobados e incluso sobresalientes... y otras le rozaron el reprobaron, cuando no entró de lleno en él. Lo cierto es que lo que menos le atraía estudiar era Historia, incluso la de su propio país, y en cambio se sentía particularmente dotado para la Geografía o las Matemáticas, así como la Historia Sagrada. Esto último, sin embargo, no era óbice para que las horas de misa se le hicieran poco menos que interminables, y buscara evadirse de ellas, no ya ausentándose, que estaba tajantemente prohibido, pero al menos desviándose mentalmente de cuanto le rodeaba e imaginando todo lo que le alejara de aquel suplicio.

La práctica del deporte, sobre todo el *basketball*, que era su favorito, fortaleció su cuerpo del mismo modo que el estudio y la lectura iban favoreciendo y dando fuerzas a su mente, y su afición por aquel juego le duró durante toda su juventud, mientras pudo practicarlo, y siguió gustándole toda la vida, incluso cuando ya no le era posible ser practicante y sí solamente mero espectador.

Los años iban pasando y la Revolución iba siendo ya un simple recuerdo, sobre todo después de los trágicos acontecimientos de 1919, 1920 y 1923.

En esos años, respectivamente, hallaban la muerte violenta Emiliano Zapata, el ex presidente Venustiano Carranza y por último el gran caudillo norteño, Pancho Villa, asesinado cuando ya ni siquiera era guerrillero o rebelde y se había retirado a su hacienda, para continuar una vida tranquila el resto de sus días. Un resto que fue sumamente breve.

Fueron acontecimientos que ensangrentaron el país, una vez más, pero que redujeron ya a la nada, al menos en lo activo, la pasada Revolución, aunque el espíritu de ésta permanecía latente en el aire, en las palabras y, lo que era más importante, en los sentimientos y anhelos de mucha gente que seguía sin ver aún los frutos reales de aquella sangrienta pugna de años y años.

Ese período de la historia mexicana no había sido ajeno en absoluto a un hombre como su padre, que pese a su condición de burgués acomodado, siempre tuvo madera de revolucionario. Desde un principio no había dudado en alinearse con los que luchaban por la reforma agraria y por los derechos de los más débiles, tal vez porque sus amistades más estrechas y profundas se hallaban precisamente del lado de los revolucionarios. Su mejor amigo y compañero, Antonio Díaz Soto y Gama, era uno de los más grandes revolucionarios del país, y su entorno no podía serlo menos.

La realidad es que Antonio y sus amistades habían formado parte de un amplio grupo de jóvenes muy influenciados por nuevas ideas políticas, y profundamente afectados por los movimientos anarquistas, por entonces tan en boga. Cuando las cosas empezaron a ponerse feas en todo México, y a la intolerancia de los gobiernos se empezaron a oponer grupúsculos más o menos sediciosos por todo el país, ellos pensaron de inmediato en unirse a alguno de aquellos núcleos rebeldes, y luchar por sus ideales.

Todavía no había tomado una decisión definitiva al respecto, cuando estalló en el norte del país la revuelta encabezada por Madero y Villa. Era su momento. Todos, como un solo hombre, resolvieron que lo mejor era unirse cuanto antes a los rebeldes del Norte, y empezar su lucha por el nuevo orden que soñaban, frente al poder establecido y sus injusticias proletarias y rurales.

Pero no era tarea sencilla alcanzar el norte del país, y menos aún establecer contacto con las fuerzas de Villa, estando como estaba toda la zona infestada de tropas federales, que partían constantemente hacia las regiones puestas en pie de guerra por Pancho Villa y su mentor, Francisco Madero.

Ante ese cúmulo de dificultades, tuvieron que renunciar a su idea previa y cambiar de planes, optando por dirigirse al sur, al estado de Morelos concretamente, para allí poder reunirse con el otro gran líder revolucionario, Emiliano Zapata.

Así lo hicieron sin pensárselo dos veces. Entre los expedicionarios dispuestos a luchar codo con codo con los campesinos sureños y con los demás sublevados se encontraba, cómo no, Octavio Paz Solórzano, padre de Octavio.

Allí tuvieron el alto honor de conocer personalmente a Zapata, y poder unirse a sus fuerzas, totalmente conquistados por la palabra del líder, quien les explicó detalladamente cuál era la situación del campesinado, cuál la de la alta burguesía local y cuál la de las fuerzas vivas y las tropas oficialistas, puestas del lado de los opresores.

Zapata no era hombre de palabrería fácil ni de grandes discursos, pero sabía exponer con firmeza y gran sinceridad sus ideas y sentimientos. Tal vez fue eso lo que caló más hondo en el padre de Octavio, que, desde ese mismo instante, se convirtió, al igual que sus compañeros de aventura, en un convencido zapatista, dispuesto, si era preciso, a morir por la causa.

Luchó como el primero en aquella guerra, en los ensangrentados campos del sur del país, junto a su líder y nuevo compañero de armas, hasta el día mismo en que Emiliano Zapata fue víctima de la traicionera emboscada preparada contra su persona por el presidente Carranza, la cual iba a poner fin a una vida humana y a toda una leyenda, pero que en modo alguno supuso el final del zapatismo, sino el principio de su expansión como ideario político-social, encaminado a darle al pueblo llano, a proletarios y sobre todo campesinos, los derechos de que habían sido despojados durante décadas enteras de gobiernos proteccionistas de los poderosos.

Como la profesión del padre de Octavio era la de abogado, no resulta nada extraño que, terminada la Revolución, pero viva todavía la llama del zapatismo en todo el país, defendiera en muchas ocasiones a zapatistas veteranos, pero sobre todo a campesinos maltratados por las injusticias, cuyos derechos representaba ardientemente ante los tribunales.

Su casa, siendo Octavio un muchachito, era frecuentada por muchos viejos zapatistas, amigos o simplemente conocidos, que charlaban con él, evocando los tiempos de la Revolución y afirmando las más de las veces que los postulados de ésta aún no se habían cumplido, pese a todas las promesas de los gobiernos y aun con algunas tímidas reformas agrarias que pretendían paliar la grave situación del campesinado mexicano, tan olvidado y desprotegido como antes de luchar y de morir su líder, Zapata.

El niño Octavio escuchaba fascinado esas historias de lucha y de reivindicaciones, de recuerdos nostálgicos y de añoranzas de veteranos guerrilleros, preguntándose a veces si la Revolución había sido tan hermosa como ellos afirmaban, o si era su propia decepción y frustración la que les hacía ver tan bellas las cosas que dejaron de ser hacía tiempo.

Pero, como no podía ser menos, ya desde niño, y después de adolescente, las ideas de revolución, de diferencia de clases, de liberalismo auténtico, de injusticias sociales y de todo lo que allí se mencionaba, iban haciendo mella en él, hasta el punto de preguntarse si toda aquella charla de viejos acontecimientos no tenían, en el fondo, un gran poso de realidad y las cosas no eran como debían ser, por culpa de los políticos de turno.

El padre del muchacho participaba en toda clase de actividades, incluso de la llamada Convención Revolucionaria, y entre 1920 y 1922, siendo miembro importante del Partido Nacionalista Agrarista, llegó a formar parte de la XXIX Legislatura, escribiendo diversos trabajos sobre el Gran Emiliano Zapata y el sentido de su doctrina y de sus principios, del zapatismo que para él, como para otros muchos, seguía siendo algo vivo y vigente en todo el país.

La semilla de esas ideas, como se ve, no podía por menos de irse sembrando dentro de lo más profundo de Octavio ya desde muchachito, y andando el tiempo no resulta nada extraño que tuviera su influencia, no ya en su obra literaria, sino en su propia vida y en su actitud ante determinadas circunstancias, como lo sería, por ejemplo, la sangrienta Guerra Civil española, que él iba a vivir tan próxima y tan decisivamente en los años jóvenes de su existencia.

En aquellos años 20 en los que Octavio pasaría de la niñez a la pubertad, las cosas para él eran simples, familiares y cotidianas, quizá como nunca más lo serían en el resto de su vida, puesto que todos hemos vivido esa experiencia única e irrepetible que es la infancia en un ambiente que nos aleja de las sórdidas realidades gracias en parte a la distancia que nosotros mismos ponemos entre ellas y el mundo que nos forjamos a nuestro alrededor, y que siempre es el nuestro, por encima de todas las cosas y de todas las personas, especialmente contra las injerencias, para nosotros indescifrables en esa época, de los intentos de influencias adultas.

La niñez de Octavio, así como los primeros años de su adolescencia en aquella magia única del mundo infantil y juvenil que uno mismo se crea a espaldas de todo el mundo, no era en el fondo muy diferente a la de cualquiera otro de su edad.

Su mundo era la escuela, las calles, el patio de casa, las paredes cubiertas de enredaderas, las estanterías de libros maravillosos y llenos de prodigios y portentos que ningún adulto podía entender, los juegos, entre los que estaba siempre presente el *basket,* su gran pasión.

Y entre tantas otras cosas de aquel mundo ideal, que uno nunca vuelve a ver repetido a lo largo de su vida —para desgracia de todos nosotros—, otros elementos imborrables, emotivos, que luego la nostalgia de los años transcurridos otorgan un valor rayano en lo mítico, como los grandes tranvías amarillos, cómodos aunque algo destartalados, que recorrían la distancia entre Mixcoac y el Zócalo en poco más de cincuenta minutos. Aquellos entrañables tranvías de su niñez, en los que Octavio se pasaba muchas horas de su tiempo, a la semana, al mes, al año, bien estudiando, preparando exámenes o dejando vagar su imaginación por las páginas de las novelas de aventuras, cuando no aquel otro tiempo en que sustituyera todo eso por otras lecturas, como la poesía o los folletos dedicados a difundir las ideas políticas que le eran afines.

Era la lógica evolución de niño a adolescente, de adolescente a adulto; en suma, el tránsito del chico al hombre. Lo que antes era simple lectura de evasión o preparación minuciosa de temas relacionados con sus asignaturas, pasando el tiempo iba evolucionando, al mismo tiempo que sus ideas, hacia nuevos rumbos y nuevas orientaciones, hacia inquietudes distintas que formaban parte de la metamorfosis natural del ser humano.

Pero aun así, el común denominador de todo aquello seguía siendo, en cierto modo, el mismo: el viejo, grande y confortable tranvía amarillo de cada jornada. Eran cuatro viajes diarios, dos de ida y dos de vuelta, que daban para mucho.

Casi cuatro horas allí acomodado, viendo pasar un paisaje que se conocía de memoria, mientras sus ojos y su mente se mantenían absolutamente embebidos en lo que tenía ante sí, ya fuera un libro de estudio, una novela, un panfleto o un libro de poemas.

Porque Octavio un día, de repente, como suelen ocurrir esas cosas, descubrió la poesía. Posiblemente ni él mismo supo cómo hizo el descubrimiento. No es que fuera totalmente ajeno a ella, porque ya había leído en la biblioteca del abuelo Ireneo algunos volúmenes dedicados al verso, pero le faltaba toparse con la Poesía, así, con mayúscula, que le calara hondo y le permitiera ver el futuro de su camino.

Hasta ese momento, había estado demasiado inmerso en sus otras aficiones para darse cuenta de nada. Su asistencia diaria a la Escuela Secundaria Número Tres, allá en la Colonia Juárez, un edificio tan viejo y grande, tan tétrico en ciertos aspectos, al menos para la imaginación de un muchacho como él, que a veces se preguntaba si las mansiones de los libros de Henry James —otro de sus autores favoritos— no serían un calco exacto de aquella casona sombría e inquietante, pero donde, pese a sus pequeñas salas convertidas en aulas, las angostas escaleras y las escasísimas, por no decir nulas, reformas que el Gobierno había llevado a cabo en ella, no era obstáculo para que, en cierta manera, se encontrara allí a gusto, entre otras razones por la existencia de amplios espacios —entre ellos una vieja cochera, creía recordar—, convertidos, por arte y gracia de los esforzados profesores, en auténticas canchas deportivas, con sus tableros y sus canastas para el baloncesto.

Octavio, que había iniciado sus estudios en centros de enseñanza privada, mucho más cuidados, se encontró al principio un poco perdido en aquel mundo de ámbito casi folletinesco, que era el de las escuelas secundarias del Gobierno, pero pronto se aclimató a ese nuevo ambiente, tan distinto al que él conociera en sus primeros años de estudiante.

Al principio le desorientó bastante no verse forzado a mantener aquel fuerte ritmo de educación religiosa que se imponía en las escuelas católicas, como las que él conociera previamente, y eso fue para él como una pequeña liberación. No es que encontrara en la formación católica un motivo de rechazo visceral, pero sí una especie de encorsetamiento religioso con el que él nunca estuvo de acuerdo, sobre todo en aquellas largas ceremonias en la capilla, escuchando, entre aburrido e indiferente, pero sobre todo incómodo, las inacabables misas y los no menos interminables sermones, sentado sobre un duro banco de madera.

Pero ese aspecto de la nueva educación no fue lo que más pudo sorprender al jovencito Octavio, sino las reformas educativas del Gobierno, que se inspiraban mucho —demasiado, en opinión de Octavio— en los nuevos métodos de enseñanza importados de los Estados Unidos, y que no dejaban de chocar en una sociedad tan diferente como la mexicana de aquel tiempo.

Tuvo la fortuna de contar entre sus maestros con uno, en especial, que le cautivó desde un principio y se granjeó por completo su confianza, cosa no demasiado habitual en los colegios de entonces ni, probablemente, en los de muchas otras épocas.

Era el director de la escuela, y se trataba de una persona tan bondadosa como comprensiva, totalmente apasionada por las ciencias y la cultura, así como por todo lo relativo a la Naturaleza, pero sin que ninguna de esas enseñanzas llegara a constituir para él una obsesión de cara a la formación de sus alumnos. Sabía ser tolerante, hacía del magisterio una tarea tranquila y reposada, y con todo ello el alumno se sentía ante él como en su propia casa, sin agobios ni presiones de ningún tipo.

Puede decirse, por tanto, que en ese sentido el joven Octavio Paz tuvo mucha suerte, porque no todos los maestros, y menos los funcionarios del gobierno dedicados a la enseñanza, eran tan dados a fraternizar con el alumnado, sin dejarse perder el respeto, pero sin imponer nunca el miedo o la aversión entre sus alumnos.

Llevado de su amor a la Naturaleza, ese profesor solía llevar a sus discípulos de excursión, recorriendo campos o aldeas, lugares cercanos de interés, o simplemente para que gozaran de una vida sana al aire libre, que les alejara del ambiente siempre opresivo de las aulas.

Por si todo eso fuera poco, el joven Octavio tuvo la inmensa fortuna de que tan excelente profesor tuviera una debilidad más, que no trataba de imponer a ninguno de sus alumnos, pero que en cuanto tenía ocasión manifestaba con entusiasmo: la poesía.

No era extraño en él que, en plena acampada, antes de ponerse a comer al aire libre o de trepar a un montículo, el buen maestro sacara de sus bolsillos un puñado de papeles y se pusiera a recitar unas poesías, mexicanas o clásicas, que muchos de los chicos escuchaban con total indiferencia, cuando no con aburrimiento, pero que cautivaban de un modo muy especial a un Octavio Paz que, cada vez más, sentía una extraña y especial inclinación en su interior hacia esa clase de literatura.

Por ello él sí escuchaba, absorto y ajeno a cuanto le rodeaba, la fácil declamación del maestro, recitando aquellos versos, que unas veces por muy conocidos le resultaban muy familiares y otras, en que los desconocía totalmente, le llevaban renovados sentimientos de ternura y de sensibilidad despierta, encontrando siempre en alguna de sus estrofas un nuevo modo de expresar esos sentimientos y de comprender lo que con ellos pretendiera decir en su momento el poeta.

Pero sin darse cuenta él mismo, mientras escuchaba esos poemas, su mirada vagaba por los entornos del paisaje, descubriendo aquí unas piedras, allá unas ruinas, un poco más cerca un templo religioso o un poco más lejos un viejo campanario de alguna iglesia o ermita perdida en el llano.

Así, de una forma insensible pero cierta, al tiempo que sus oídos captaban la melodía sonora del verso, sus pupilas se llenaban con las formas de la propia cultura autóctona de su pueblo, con sus monumentos viejos, con sus estructuras históricas; en suma, con las muestras de la propia Historia y de la cultura de su pueblo, del arte religioso mexicano, como expresión de algo que iba mucho más lejos que los simples oficios eclesiásticos y que formaba parte en realidad de la vida misma, del pasado y del acervo cultural de un país, un país que era precisamente el suyo.

Tiempo más tarde, el propio Octavio dedicaría algunos de sus poemas a esas estructuras religiosas que eran parte intrínseca de la tierra mexicana, con frases tan bellas como elocuentes:

«Iglesias,
vegetación de cúpulas,
sus fachadas
petrificados jardines de símbolos»...

El lenguaje de Octavio Paz, siempre rico, siempre rebosante de expresividad y de poder descriptivo, evocando viejas visiones de su época estudiantil, de sus paseos campestres con el maestro de la vieja escuela pública de Mixcoac...

No fue nunca Octavio Paz un hombre desmedidamente religioso, como tampoco se le podría encasillar como un hombre que rechazara la fe o la religión como algo nefasto para el hombre. Sencillamente, le llegaba al alma aquel arte dedicado a la religión por su enorme valor histórico y cultural. Respetaba lo religioso, como respetaba también otros aspectos más paganos de la vida, sin renegar de nada ni escandalizarse por nada.

Mientras tanto, su padre continuaba sus andanzas personales, siempre ligadas con sus sentimientos políticos y sus afinidades con la Revolución. Para él, en todo momento, tal vez por la influencia que el conocimiento personal de Emiliano Zapata había supuesto en su momento, estaba plenamente convencido de que el futuro del país, la auténtica verdad de México, no se podía encontrar sino en el movimiento zapatista, en el modo de pensar y de entender aquella tierra que había tenido siempre el gran líder sureño de la Revolución.

Siguiendo por ese camino político, no es de extrañar que Octavio Paz, padre, llegara a ser un activo participante en todo lo que se refiriera a la Convención Revolucionaria, no ya dentro del propio México, sino en la exportación de esos ideales a otros países, a otras personas y a otros ámbitos sociales.

Todo ello le condujo, en su momento, a ser elegido como representante personal del zapatismo y de la Revolución del Sur de México en los Estados Unidos. Era un trabajo arduo el suyo, sin duda alguna, porque la sociedad norteamericana poco o nada tenía que ver con los problemas sociales de México, pero se trabajaba sobre la base de que también en muchas regiones del sur del gran país norteamericano el trabajador, y sobre todo el campesino, tenía parecidos anhelos a los que pudieran haber sentido en su momento —y seguían sintiendo, que era lo peor— los propios campesinos mexicanos del sur, los que en Morelos y estados vecinos siguieron entusiasmados a la figura de su caudillo, Emiliano Zapata.

Tal vez por eso el padre de Octavio eligió para establecerse las tierras californianas, donde no sólo los nativos de ellas, sino muchos de origen mexicano que trabajaban allí, eran tratados por las grandes empresas y los terratenientes de California con escasa diferencia respecto a lo que podían recibir como trato de las grandes haciendas mexicanas los seguidores del zapatismo.

Ello hizo que, durante un tiempo, el pequeño Octavio y su madre tuvieran que reunirse con Octavio Paz Solórzano en territorio estadounidense, período que para el joven Octavio no iba a tener precisamente, al menos en sus primeros momentos, demasiados buenos recuerdos, a causa de una serie de hechos que tuvieron lugar en su vida estudiantil, y que tardarían años en borrarse de su mente, como él mismo reconocería más tarde al repasar su vida de forma autobiográfica.

Capítulo III

Los Ángeles, California, fue el punto de reunión de los Paz, de Octavio padre, de Octavio hijo y de doña Josefina, por mor de las circunstancias, ya que, a causa de la representación zapatista que el padre ostentaba, la situación de madre e hijo en México había dejado de ser precisamente cómoda, y además el padre había insistido en que permanecieran junto a él un cierto tiempo, ya que la separación familiar le llenaba de tristeza, pese a sus afanes políticos y a sus convicciones firmes sobre la Revolución, que tan orgullosamente intentaba representar y difundir.

Pero aun con todas sus creencias políticas y sociales, don Octavio no era un hombre irresponsable, y menos en lo que se refería a la educación de su hijo, por lo que se apresuró a buscarle un centro donde estudiar en la ciudad de Los Ángeles.

El pequeño Octavio fue, pues, a clase, en aquel país extraño y de lengua ajena a la suya propia, seguro de que entraba en un mundo nuevo, donde todo iba a ser maravilloso por su propia novedad y su diferencia con los colegios de su propia tierra.

Pronto se llevó el primer chasco, aun a su pesar. El primer día de clase iba a impresionarle desagradablemente, porque las cosas distaron mucho de ser como él esperaba.

El colegio en sí no ofrecía grandes diferencias, para empezar, con cualquier otro centro escolar que él recordara. Los mismos o parecidos pupitres, los mismos bancos, duros e incómodos, las mismas paredes desnudas y poco acogedoras. Tal vez la única diferencia, como él lo recordaba después, era la bandera que aparecía en un ángulo de la sala.

En vez de los familiares colores de su bandera, las franjas verde, blanca y roja, con el águila y el nopal, ondeaba allí, como era lógico, la de las barras y estrellas, la bandera de los Estados Unidos de América. Pero una bandera era una bandera, y a él eso no le preocupaba demasiado, ni era ningún obstáculo para su enseñanza.

Lo peor era el idioma. Su lengua nativa poco o nada tenía que ver con aquella otra a la que se enfrentaba ahora, con todas las dificultades propias del caso. Al llegar la hora del almuerzo —entró en aquel colegio a media pensión, como casi todos los que allí estudiaban—, encontró dificultades para pronunciar las palabras que en sus compañeros, incluso los no estadounidenses, pero ya habituados al inglés, era costumbre habitual utilizar sin problemas. La mayor parte de los alumnos se echaban a reír al escuchar a aquel niño mexicano pronunciar fatalmente sus primeras palabras en una lengua que no era la suya, y comenzaron de ese modo las burlas y los remedos burlones, que tanto irritaron a Octavio.

El incidente tuvo una segunda parte después, ya en el patio, durante el recreo, pues los demás niños se mofaban de él, repitiendo ostensiblemente su mala pronunciación y desafiándole a que hablara bien. Octavio era muchacho de poca paciencia con las bromas, y acabó por enojarse de verdad.

En vez de encogerse tímidamente ante el alud de burlones compañeros, arremetió contra ellos resueltamente, y la cosa terminó a mamporros, con todas sus consecuencias, teniendo que intervenir los profesores para apaciguar los ánimos y separar a los contendientes de la pelea.

A Octavio le pusieron sus crueles compañeros, de inmediato, el apodo de «cuchara» —así, en español—, y todo porque durante la comida no había atinado a pronunciar bien su homónima inglesa «spoon», y con «cuchara» quedó durante un tiempo, aunque inevitablemente, siempre que oía el despectivo apodo, la cosa acababa a puñetazos.

De momento, el incidente enfadó y dolió tanto a Octavio, que se negó durante dos semanas enteras a volver a las clases, pese a la insistencia de su padre y de los rectores del colegio. No quería seguir siendo objeto de burla por parte de sus compañeros.

Finalmente, no se sabe si por insistencia familiar, por mediación de los profesores o porque Octavio tomó la decisión de encarar el problema por las bravas, volvió a las clases. Se hizo respetar, procuró pronunciar el inglés lo mejor posible y, poco a poco, las aguas volvieron a su cauce.

El apodo se olvidó, ganó amigos entre sus iniciales adversarios y terminó siendo respetado y apreciado por todos los compañeros de clase, con los que ya no hubo problemas ni enfrentamientos, salvo los naturales cuando uno es chiquillo.

Lo que parecía iba a ser una breve estancia en aquel país extraño para él, se prolongó más de la cuenta por razones familiares, y en parte también políticas, la verdad sea dicha, y transcurrirían dos años antes de que el pequeño Octavio pudiera volver a su México natal y olvidarse del inglés en las clases.

Pero eso tampoco iba a resultar sencillo para el muchacho, llegado el momento, porque cuando de nuevo pisó tierra mexicana, tras los casi dos años vividos en los Estados Unidos, y habituado a sus estudios en lengua inglesa, se sintió tan extraño en su propio país como cuando llegara por primera vez a aquel colegio norteamericano.

Su español, ahora, tenía un inevitable acento yanqui, que causaba las risas y las bromas de sus nuevos compañeros. Ahora eran sus compatriotas los que se mofaban de su modo de hablar, salpicado de modismos y de palabras inglesas. Para ellos, era como un extranjero, y así empezaron a tratarle.

Pero a estas alturas, y aunque doblemente dolido porque la ingrata experiencia se repitiera en su propia patria, Octavio tenía experiencia en tales lides, y plantó cara a sus nuevos compañeros, tan mexicanos como él mismo, con parecidos procedimientos a los usados en aquel colegio californiano. Es decir, a golpes.

Pasados los primeros momentos de hostilidad, una vez más las cosas se calmaron y fue aceptado por los suyos, que procuraron olvidarse de los modismos y americanismos de su nuevo compañero, quien les había recordado ya en su forma contundente de responder que de extranjero no tenía nada y que, si le molestaban, demostraba todo lo muy mexicano que en realidad era, sin arredrarse ante nada ni ante nadie.

Sería entonces cuando reanudaría sus clases con su gente, en un período en el que las cosas de la Revolución parecían no tener ya gran cosa que defender ni tratar de difundir, puesto que tanto Villa como Zapata habían muerto, Venustiano Carranza y sus métodos represivos contra los rebeldes eran ya historia, pues el propio ex presidente estaba así mismo muerto, y los nuevos gobernantes parecían dispuestos a llevar a cabo aquella ansiada reforma agraria que diera a cada campesino la tierra necesaria para sobrevivir, y a cada trabajador el apoyo social que reclamaba para ser considerado como una persona digna y no como un esclavo.

Pero todo eso, para don Octavio, por desgracia no eran sino meras palabras y promesas de políticos que antes de ser elegidos lo pintaban todo color de rosa, y una vez asentados en su poltrona se olvidaban de todo lo prometido anteriormente.

Por ello seguía él luchando por la Revolución, que aún consideraba pendiente, y en esa convicción distaba mucho de estar solo, ya que eran muchos los mexicanos que pensaban que las cosas no se habían resuelto con el fin de la guerra ni con el ejemplo y el valor de los hombres que lucharon bajo la bandera revolucionaria por el bien de su gente.

Así, no es extraño que prosiguiera con sus actividades y que, como miembro que era del Partido Nacional Agrarista, se significara en muchos actos zapatistas. Escribió un texto sobre el zapatismo, que fue muy popular en su momento, mientras conseguía formar parte de la XXIX Legislatura de su país, representando a su partido.

Una de las frases de aquel escrito suyo sobre Emiliano Zapata y sus ideales se quedó grabada para siempre en la memoria de su hijo, tal vez porque su padre expresaba en aquellas palabras algo así como una relación con Zapata que iba más allá incluso de esta vida, y entraba en el terreno de lo fantástico, que tanto le atraía siempre, con su aura de misterio:

«Lo encuentro ahora en sueños,
esa borrosa patria de los muertos.»

Eran los momentos entre 1920 y 1922 en que aún palpitaba con vida propia el recuerdo de Zapata y de su legado ideológico, y el joven Octavio, cercano ya a los ocho años, leía esos escritos paternos, empapándose de ellos como si de otra novela de imposibles aventuras se tratara.

Él era muy joven aún para entender de política, y no entendía esas cosas, pero su natural curiosidad por todo lo escrito le llevaba a intuir en la vida de su padre algo así como pasajes de verdadera aventura, de mitos y de leyendas vivas. Si escuchaba conversaciones entre él y sus compañeros de ideología o con otros visitantes tan zapatistas como su propio padre, no podía entender bien de qué hablaban, pero sabía que estaban refiriéndose a hechos que fueron en su momento legendarios, y a esperanzas —tal vez infundadas— de que algún día esa leyenda se tornara una realidad tangible.

Tal vez era eso lo que, a su mente infantil, tanto atraía de su buen padre y de sus sueños revolucionarios y sociales. Era como abrir las páginas de un libro, pero de un libro *vivo,* cuyas páginas estaban hechas de realidad pura y no de simple papel, y donde las palabras eran sentimientos humanos, emociones cálidas y amores ideológicos, y no simple letra impresa.

¿Podía ser la vida, aquella vida que para él solamente eran horas de clase, carreras al sol, juegos en la calle o en el envejecido jardín de la casa de su abuelo don Ireneo, como un gran libro abierto, por cuyas páginas desfilaran y se movieran seres de carne y hueso, personajes de la misma realidad, viviendo la gran aventura de su propio ser y existir?

Para él, al menos, eso parecía posible en ocasiones, cuando su despierta e inquieta mente se abría a nuevas experiencias a través de las charlas paternas con sus compañeros de ideas y de ilusiones. Tal vez, sin darse cuenta siquiera de ello, el joven Octavio iba tomando nota de muchas cosas que se almacenaban allá, en el fondo de su cerebro, para esperar pacientemente a que el paso del tiempo y el uso de la razón llevaran a su dueño por caminos no demasiado alejados de aquellos que ahora llevaba su padre y que él no acababa de entender, pero que en el fondo le fascinaban.

Seguía sus estudios, mientras tanto, tan ajeno a su futuro político como poético, tal vez porque aún no era el momento de descubrir ni la política ni la poesía. Un niño tiene que ser, ante todo, niño. Y gozar lo más posible de ese preciado don de la niñez que a todos se nos concede y que luego tanto añoramos, sin habernos dado cuenta en su momento de todo lo que valía.

Octavio era, sobre todo, un niño. Aún lo era, pese a todas sus inquietudes —o quizá por ello mismo—, y su asistencia a los oficios religiosos, casi siempre un poco forzado por sus propios profesores o por su familia en los días festivos, era como la de todos los niños del mundo. Los ritos católicos que le eran propios, como a todos los mexicanos, lograban en ocasiones aburrirle —sobre todo si el cura de turno se ponía pesado en los sermones— y otras veces llegaban a producirle una especie de rara fascinación. La comunión le parecía un acto incluso emocionante, y en la iglesia, cuando había silencio y quietud, sentía aquella extraña y profunda soledad como una sensación de alivio que le calmaba y relajaba de todas sus emociones.

Pero también en el niño, por otra parte, iba despertando algo tan natural en el ser humano como es el factor sexo. Ya en las misas dominicales prestaba muy especial atención a las chicas que solían ir a los oficios. Cruzaba con ellas miradas cómplices y maliciosas, y tanto él como su grupo habitual de amigos estaban a veces más pendientes de aquellas muchachas que de la palabra del señor cura o del acto solemne de la Consagración.

Él sabía que eso no estaba bien y que era más bien profano, pero era el despertar a la vida de cualquier niño, y no es de extrañar que, una vez terminado el oficio religioso, se acercara a ellas, en ocasiones sólo para charlar, pero en otras para ir ya un poco más lejos e invitarlas a alguna bagatela al alcance de su bolsillo, cuando no la cosa se hacía más atrevida y el convite de turno era para ir juntos al cine o a cualquier otro tipo de diversión, sobre todo si eran las fiestas del lugar o había alguna feria cercana.

El niño Octavio tenía éxito con las chicas, y casi siempre aceptaban sus ofrecimientos, por lo que no es de extrañar que se hiciera asiduo de las misas dominicales, más por la aventura con la chica de turno que por la misa en sí. A fin de cuentas, él no hacía sino repetir lo que veía hacer a muchos mayores, ya en edad casadera, que se citaban o se conocían a la salida del templo e iniciaban su relación personal.

La diferencia estaba en que las relaciones de Octavio con las muchachas no dejaban de ser sino lo que simplemente eran: cosas de chicos, sin más trascendencia. La edad era aún demasiado tempranas para pensar en la sexualidad o en la libido. Era, simplemente, el despertar a la vida, el prólogo de todas esas sensaciones, lo que puede sentir un niño de ocho o nueve años por una chica de la misma edad —o a veces mayor incluso que él, cosa no tan infrecuente—, que ve en aquella relación, absolutamente platónica, algo así como el romance que ha acabado de leer en las páginas de uno de los libros de aventuras en que el héroe se muestra profundamente enamorado de la heroína, sin que el niño que lo lee sepa exactamente qué es el «amor» entre un hombre y una mujer.

Algo parecido le ocurría a Octavio con las chicas con quienes entablaba relación. Podían gustarle, incluso pensar que se enamoraba de ellas, pero ésos eran conceptos aún demasiado abstractos para su edad, que no pasaban de ser meras fantasías infantiles, como las que todos hemos conocido en ese período de nuestra vida.

Poco tiempo después, ya empezaron a ser otras cosas y aficiones las que atrajeron la atención del muchachito que empezaba a ser Octavio Paz. En aquellos mismos años 20, se aficionó de forma intensa a la música clásica, de forma incluso un poco precoz, lo que da idea de que ya empezaba a nacer en él aquella sensibilidad del poeta que subyacía en el fondo de su ser, esperando el momento de surgir a la luz con toda su fuerza.

La música le atrajo pronto con inaudita fuerza. Por entonces, se daban frecuentes conciertos en Bellas Artes, a precios muy asequibles, para que la cultura musical de los jóvenes encontrara un cauce natural y favorable, cosa que había que agradecer a los gobernantes del momento, que al menos no privaban al pueblo de una ocasión de poder contactar con los buenos músicos y los mejores directores de orquesta.

Claro está que los más pudientes se acomodaban en los palcos y en la luneta, como es normal, pero al menos existía la llamada «galería» o zona alta del recinto, desde donde se dominaba todo el teatro, y que solamente costaba veinticinco centavos la entrada. Octavio y sus amigos reunían trabajosamente esa suma durante los días previos al concierto y, llegado el momento, disfrutaban de su sitio allí arriba, contemplando con curiosidad al público de los palcos y de la luneta, mientras escuchaban atentamente las piezas que se interpretaban en el escenario.

Eran sesiones importantes de música clásica, y también había entre el público «de abajo» gente importante, que los muchachos se entretenían en identificar durante los descansos de la orquesta, con curiosidad o con admiración.

A través de aquellos conciertos que acabaron familiarizando a lo mejor de la música, ya fuera clásica o moderna, con los oídos de Octavio y sus amigos, también les fue dado por tanto contemplar a verdaderas personalidades de la vida pública del México de los años 20.

Acostumbraban a dirigir aquellos conciertos directores de la talla de Silvestre Revueltas o de Carlos Chávez, y la música de Stravinsky, por ejemplo, que era lo que más de moda estaba en todas partes, les fue tan conocida a los muchachos como las de otros grandes de la música de todos los tiempos.

Por primera vez en su vida, Octavio pudo ver personalmente, en los asientos de allá abajo, a personas de gran renombre artístico, asiduos como él mismo a aquellos conciertos, y no le era raro identificar en este palco o en aquella butaca de platea a personas del prestigio de Xavier Villaurrutia, de Carlos Pellicer, e incluso en algunas ocasiones nada menos que a Diego Rivera, el gran muralista de fama mundial, con su inseparable Frida Kahlo, aquella enigmática mujer de profundo entrecejo y singular personalidad, que acompañaba a su marido en muchas de sus apariciones públicas.

Para un muchacho como él, ver a esas personas allí, compartiendo esas horas de buena música bajo un mismo techo, era motivo de excitación y, aunque no dejara de escuchar atentamente a la orquesta, no era raro que, durante el concierto, sus ojos acudieran muchas veces al encuentro de aquellos rostros populares, de aquellas personas para él excepcionales. Octavio consideraba que todo el que destacara en una faceta del arte, cualquiera que fuera, tenía un mérito que no podía alcanzar nadie más.

Particularmente Diego Rivera era para él como un mito viviente, un ser de otra galaxia a quien solamente podía ver durante aquellos conciertos, tan lejano y sin embargo tan próximo, porque para Octavio aquel hombre, aquel gran artista, era como un ídolo inaccesible, ya que era el mejor en lo suyo, y eso a él le impresionaba profundamente.

Estos sentimientos de Octavio Paz, siendo todavía un muchacho, tal vez eran como la premonición de que él también iba a buscar en su vida, en su obra, en su arte, la posibilidad de ser el primero, el mejor de todos. Y que ese afán era el que iba a alumbrar en el futuro su camino, hasta convertirse en toda una realidad.

Él no podía saberlo aún. Escuchaba música y admiraba a aquellos grandes compositores como admiraba a los grandes directores de orquesta o a los grandes músicos. Veía a los destacados artistas que identificaba entre el público, y los admiraba precisamente por su grandeza.

Ya fuera música, pintura, escultura, cualquier arte, en suma, le atraía sin saber por qué. Pero no le tentaba en absoluto a pretender ser alguien en ese terreno o en cualquier otro similar.

Él estaba destinado a otro arte, a otra manifestación artística diferente, tan hermosa como todas aquellas: la poesía, la literatura en suma.

Y también estaba destinado a ser lo que él tanto admiraba: el mejor en lo suyo.

Pero eso él, en aquellos felices años 20 en que todavía era un muchacho, un adolescente, no podía saberlo.

CAPÍTULO IV

TERMINABA precisamente la década de los 20 cuando empezó todo. Al menos, todo lo que iba a moldear el espíritu de Octavio Paz en uno de los aspectos fundamentales de su vida: el político, el de sus ideas.

Era 1929, y Octavio iba a cumplir ya sus quince años. Una edad precoz para meterse en líos, evidentemente. Pero las cosas sucedieron de ese modo, sin casi darse cuenta él mismo, y se vio inmerso en unos acontecimientos que tal vez le superaron un poco en ese momento, pero que ya marcaron de forma concreta lo que iba a ser su futura postura ante los acontecimientos sociales y políticos de su tiempo.

Ocurrió estando estudiando en la Secundaria, y en ello tuvo gran parte de culpa la presencia de un compañero de estudios, que compartía con él pupitre y que iba a influir en él con bastante fuerza en la ideología y las reacciones relacionadas con la misma. Ese compañero suyo de clase se llamaba José Bosch y era español, catalán por más señas.

Las relaciones iniciales con él no fueron, sin embargo, demasiado buenas, tal vez porque poseían caracteres muy diferentes, y andaba de por medio una diferencia de edad que, si en los adultos apenas resulta perceptible, en muchachos de sus edades sí se nota, y mucho. Bosch era tres años mayor que Octavio, y sus dieciocho eran, para un chico de quince, motivo de un cierto respeto y distanciamiento que no facilitaba demasiado las relaciones entre ellos.

Además, Bosch era a veces motivo de comentarios poco favorables, por parte de otros alumnos, aunque nunca ofensivos o burlones, por su marcado acento catalán, tan distinto al español de suaves cadencias propias de los demás estudiantes, mexicanos todos. A veces, a Octavio le irritaba aquel aire de cierta superioridad, tal vez involuntario, que emanaba de su compañero de pupitre, y eso tampoco contribuía demasiado a mejorar las cosas.

Pese a todo ello, y de una manera lenta pero progresiva, la relación entre ambos se fue haciendo más fluida a medida que pasaba el tiempo, y el español le hablaba de temas que él conocía de forma muy superficial o de oídas entre personas mucho mayores que él, con motivo de las charlas de su padre con zapatistas y partidarios de la Revolución.

Sólo que las cosas que expresaba Bosch eran distintas en cierto modo, aunque relativas también a un modo concreto de ver la vida política. Cuando empezaron a hacerse de verdad amigos, Bosch le fue prestando libros propios u orientando para que leyera otros que pudiera hallar, y de ese modo el joven Octavio Paz entró en el mundo de las ideas libertarias.

A cambio, Octavio traía libros de la biblioteca de su abuelo y se los prestaba a su nuevo compañero. Solían ser obras de literatura o de poesía, y solamente de cuando en cuando algún que otro escrito por autores de ideas socialistas, que parecían ser muy del gusto del joven Bosch.

Todo ello fue estableciendo entre ambos una corriente de mutua simpatía, inimaginable en un principio, y los libros y comentarios de Bosch fueron sembrando su semilla en la tierra casi virgen que era la mente de Octavio en tales cuestiones. Las nuevas ideas y conceptos de libertad, de rebeldía, de protesta, iban apoderándose del espíritu del muchacho con la misma fuerza con que antaño pudieron hacerlo las peripecias de Athos, Porthos o Aramis, o las audacias del Tigre de Malasia.

Sólo que ahora el tema era más próximo, le afectaba a él como persona y como miembro de una sociedad que parecía sufrir todos aquellos males, aquella falta de libertades de que tanto le hablaba su amigo el catalán, y la fábula que él nunca podría encarnar, sino en sueños, ahora podía ser protagonizada por él mismo. A fin de cuentas, un chico de quince años podía ser muy fácilmente moldeable por aquellas audaces teorías de rebelión y libertad, y más si quien le moldeaba en ese sentido era mayor y más experto que él.

Así, no es de extrañar que, en cierta ocasión, y ante uno de esos hechos que pueden darse en cualquier centro de enseñanza, en que se trata de imponer la disciplina a uno o varios niños díscolos, naciera en ellos la idea de plantearse una auténtica rebelión, a la que arrastrar a los demás alumnos.

Entre los dos organizaron una auténtica sublevación estudiantil en toda regla e incluso consiguieron llevar al alumnado a una huelga que dejó perplejos a sus educadores y escandalizada a la dirección del centro.

El incidente adquirió tan graves proporciones, que el director se apresuró a solicitar la intervención de la fuerza pública y el cierre inmediato de la escuela. Se presentó la policía en el centro, y la primera medida que se llevó a cabo fue la de arrestar a los dos responsables de la revuelta, Octavio Paz y José Bosch.

Ambos fueron conducidos a la delegación de policía local y, tras un interrogatorio severo, fueron llevados a una celda, donde debieron permanecer durante dos días enteros, como si de dos presos adultos se tratara, mientras el colegio permanecía cerrado también durante aquellos dos días, para evitar incidentes mayores.

Las cosas parecían haber ido demasiado lejos para ser un simple experimento estudiantil, y el propio centro educativo solicitó que el caso se tratara seriamente y sin mano blanda por el hecho de que se tratara de un niño y de un adolescente. Daba la impresión de que los responsables de la escuela tomaban más en cuenta la actitud y comportamiento de Bosch, como mayor que era —tal vez también porque intuían que sus convicciones políticas eran más fuertes y peligrosas que las del joven Octavio—, y de resultas de ello, transcurridas aquellas dos fechas de confinamiento en la celda, los jóvenes fueron conducidos por unos agentes hasta el despacho de un alto funcionario de la Secretaría de Educación Pública, tras declararles oficialmente libres de cargos.

Pero la actitud del funcionario de Educación fue firme y severa con ambos, a quienes reprochó con dureza su actitud y les amenazó con ser expulsados del colegio y, lo que era peor, sin posibilidad de ser admitidos en centro alguno del país. Eso, en cuanto a Octavio Paz, como estudiante mexicano. Lo de Bosch podía resultar aún peor, puesto que además se trataba de un extranjero y podía recibir un castigo más duro si persistía en aquellas peligrosas actitudes.

Tras el duro rapapolvo, el alto cargo de Educación suavizó un poco su tono, más por la presencia de Octavio que por la de Bosch, sin duda alguna, y confesó que comprendía bien la forma en que ambos se habían comportado, porque él también había sido joven, y todos los jóvenes, en el fondo, son rebeldes e inconformistas, o dejarían de ser jóvenes. Si a esa edad no se cometían errores así, les dio a entender, ¿cuándo iban a hacerlo?

Tenían, por tanto, toda su comprensión e incluso la tolerancia de la Secretaría, pero todo eso deberían ellos de compensarlo con una actitud más respetuosa para con las normas del centro educativo donde se hallaran. Incluso llegó a ofrecerles unas becas si su actitud, a partir de ese momento, era de conformidad y de buen comportamiento.

Octavio asistía a todo eso de una forma casi pasiva, aguantando primero el fuerte chaparrón de reproches y amenazas, consciente de su error, y luego esperanzado y alentado por los modos más tolerantes y hasta generosos de su interlocutor, pasando así del temor y la inquietud a un estado de verdadero alivio y hasta de satisfacción.

Su amigo y compañero de estudios, Bosch, obró y reaccionó de muy distinta manera, ante el asombro del joven Octavio. Advirtió que escuchaba las amenazas con una intensa lividez en su semblante, que se tornó rojo de ira al escuchar las palabras de tono comprensivo, y finalmente, en un arranque de exaltación y de rabia, se puso en pie, encarándose con el funcionario y replicándole con tal dureza y tono airado que, ante semejante actitud, no consiguió otra cosa sino que su interlocutor les expulsara de su despacho con cajas destempladas, volviendo a amenazar con fuertes medidas represivas cualquier otra intentona de alterar la calma y la disciplina del colegio.

A Octavio le impresionó mucho todo eso, y no acabó de estar de acuerdo con la reacción de su compañero, pero la semilla del descontento había prendido ya en él, incluso de forma involuntaria, y eso iba a marcar en lo sucesivo su comportamiento en el terreno político y social.

Bosch seguía siendo, pese a todo, el cabecilla del grupo estudiantil rebelde, y él le seguía, embarcado ya en aquella aventura que le excitaba los ánimos y le hacía ver las cosas como nunca hasta ahora las había sabido ver.

Por entonces transcurrían ya las fechas preelectorales en todo el país, y José Vasconcelos era el candidato a la presidencia, ansioso por terminar con la corrupción y con los manejos políticos de Plutarco Elías Calles. Los seguidores de Vasconcelos eran legión, sobre todo entre los jóvenes inconformistas y liberales, y el grito de «¡Viva José Vasconcelos!» era como un símbolo de libertad para todos los adscritos al movimiento vasconcelista.

Octavio era muy joven aún para pertenecer a aquel movimiento político, pero no para sentirse un vasconcelista más y gritar su nombre estentóreamente por las calles. No cabía duda de que era él, con sus ideas, quien había logrado exaltar a toda la juventud de México y hacerla suya, hasta el punto de conseguir que se produjera la gran huelga estudiantil de 1929, duramente reprimida por las fuerzas del orden, como solía ser costumbre en tales casos.

Tanto Octavio como Bosch participaron, cómo no, en esa huelga; el catalán de forma mucho más activa que su joven amigo mexicano, ya que su edad y su temperamento iban más acordes con los acontecimientos.

Era también Bosch quien inculcaba las ideas a los demás huelguistas, que era como decir a todos los estudiantes seguidores de la gran huelga. Bosch fue quien les hizo sentir desconfianza hacia todo lo que significara poder y autoridad, y les enseñó que la libertad no era solamente el don más preciado del hombre, sino el propio eje de la justicia, y que sin libertad no existe justicia posible en el mundo. Los poderosos, los que mandan, decía Bosch, y todos le escuchaban fascinados, lo asimilaban y lo repetían luego a otros compañeros, no desean que el ser humano sea libre, porque cuando lo es su poderío y su hegemonía se han terminado.

Para aquellos muchachos, encandilados por los nuevos vientos de sueños libertarios que soplaban en el ambiente, era tan despreciable el dirigente como el burgués, el jefe como el superior, porque todo significaba simple y llanamente una forma de autoritarismo que convertía al ser humano en un simple y obediente esclavo que nunca puede levantar la voz contra sus amos y señores.

Todo eso, cuando se llevaba al terreno de lo nacional, no podía sino provocar regímenes o ideologías autoritarias, basadas en la ciega obediencia y en la represión, en la anulación de la persona como tal, para convertirse sólo en un número o en una máquina de pensar y de trabajar.

Aquel año 1929 marcaba para Octavio el final de toda una época, aunque él no lo supiera. Había vivido unos años como ya nunca volverían, porque aquél había sido su período de transición de niño a adolescente, y las cosas no iban a ser igual ya para él cuando entrara en la década de los 30. Vasconcelos no fue elegido presidente, sino Pascual Ortiz Rubio, aunque las ideas filosóficas del que había de ser uno de los más grandes historiadores, críticos, ensayistas y filósofos de México, hubieran prendido ya en el joven Octavio, marcándole de una manera definitiva para el futuro.

Vasconcelos, el que ya fuera secretario de Educación Pública en el lejano año de 1920, cuando Octavio solamente tenía seis años, y que luego conociera el exilio por su oposición radical a la política de anticlericalismo mantenida por el Gobierno mexicano, era hombre que dejaba huella allí por donde pasara, y no es de extrañar que su persona, su pensamiento y su obra dejaran profunda impresión en todos aquellos que fueron sus encendidos partidarios durante el período electoral de 1929.

Ya la Revolución había empezado a ser simple recuerdo en el pueblo mexicano, que vivía nuevos tiempos y modos, y en la memoria del joven Octavio Paz sobrevivían los recuerdos zapatistas como simples sombras de un pasado distinto, como fantasmas vagos que se obstinaban por no alejarse del todo de él, tal vez porque tomaron forma a partir de las experiencias narradas de viva voz por su propio padre en los tiempos en que la Revolución era actualidad y se soñaba con alcanzar, a través de ella, los anhelos de todo un pueblo.

Probablemente muchas de las injusticias de entonces persistieran, es posible que no todos los males de los campesinos se hubieran resuelto, ni mucho menos, pero se respiraba un ambiente constitucional que alejaba esas sombras del pasado como si formaran tan sólo parte de una historia demasiado antigua, y sin embargo tan cercana para muchos.

Octavio recibió la noticia de que el siguiente año ya no cursaría sus estudios en el mismo centro, sino que pasaría a la Escuela Nacional Preparatoria. Eso le llenó de entusiasmo, porque sabía que era una institución educativa de gran prestigio, donde se podía iniciar una nueva etapa de su vida, tal vez el tránsito definitivo a la adolescencia, paso previo a su entrada en la edad adulta.

Seguía atrayéndole la lectura, como siempre había ocurrido, pero se aficionaba cada vez más por las obras de poesía, ya fueran nacionales o extranjeras, modernas o clásicas, y en todas encontraba algo así como un reflejo de sí mismo, como algo de todo aquello que bullía en su interior, sin llegar a cobrar forma real.

Sin darse apenas cuenta de ello, Octavio Paz, aún niño, empezaba a descubrirse tal como era y como iba a ser. Ya había pasado para él la época de los libros de aventuras y las narraciones novelescas. Compartía sus aficiones con la política o la poesía, y era como si algo en su interior hallara un nexo de unión entre ambas cosas, como si la poesía en sí misma fuera la mejor arma de libertad que el ser humano podía enarbolar contra la injusticia y la opresión.

Todo eso, por supuesto, no estaba aún definido dentro de él, pero existía la simiente, y era ya sólo cuestión de tiempo que la metamorfosis se produjera y brotara de él, con todo su ímpetu, aquella nueva forma de entender la poesía que iba a marcar el camino creativo de su propia existencia.

Se rebelaba, eso sí, contra toda presencia que significara autoridad o dominio de los demás. No toleraba la existencia misma de los sistemas burocráticos, odiaba todo autoritarismo, viniera de cualquier lugar, porque seguían dentro de él las soflamas encendidas de su excompañero José Bosch y los principios liberales de José Vasconcelos, y eso le costaba en ocasiones algún que otro disgusto, pero nada ni nadie conseguía quebrar su convicción, y seguía adelante con ella, a pesar de todo.

Así era en 1929 aquel Octavio Paz aún niño, que pronto iba a dejar de serlo, con sus quince años llenos de ilusiones y de esperanzas, movido ya por ideas muy concretas y firmes sobre muchas cosas, casi nunca de acuerdo con los de su propia edad y menos aún con los adultos que pretendían abusar de su condición de tales de una forma arbitraria o despótica.

Él se daba cuenta, en cierto modo, que el nuevo cambio de centro escolar, con todo lo que ello significara, iba a ser algo renovador para él, algo que reforzara sus más íntimas convicciones y que le reforzara su preparación ante el futuro. Sabía que iba a convivir durante meses, o acaso años, con otros muchachos de su generación, entre muros que si un día fueron solamente desnudas paredes, ahora se conservaban, como auténticos gritos de su soñada libertad hechos forma y los frescos de los grandes muralistas mexicanos, los cuales iban a marcar un hito en la historia de ese arte único. Sabía que iba a familiarizarse, día tras días, con aquellos murales pintados por gente como Rivera, Siqueiros, Orozco o Charlot.

Sólo esa experiencia, para él, valdría por todo lo demás, porque era conocer las ideas políticas de aquellos hombres que hicieron arte de cubrir las paredes con sus creaciones, y todas esas ideas convergían siempre en la libertad del hombre, en la justicia del obrero y del campesino, en la crítica del opresor y del mandatario.

Y esas ideas, en el fondo, eran las suyas propias. Sólo que él no tenía modo de expresarlo, salvo con palabras, y ellos habían sabido hacerlo con sus manos, con su creatividad, con su imaginación; con su arte, en suma.

No. El joven Octavio aún no podía expresar sus propias ideas sobre la libertad del hombre y el derecho a expresarse y obrar como deseara, dentro del orden de una sociedad también libre y justa para todos.

Aún no. Pero llegaría el día en que pudiera hacerlo. Y ese día estaba cada día más cercano.

La década que ahora empezaba iba a significar mucho para él. Iba a ser la de la revelación de la poesía como su gran arma, su gran medio de expresión y de protesta, la explosión de una juventud que tenía mucho que decir.

Y que iba a saber cómo decirlo.

Segunda Época
Poesía y revolución

Capítulo I

La Escuela Nacional Preparatoria de San Ildefonso era ahora su nuevo hogar, su nuevo mundo de estudios e inquietudes, entre grandes murales de Orozco, Rivera o Siqueiros; entre grandes columnas, hermosos arcos e interminables corredores.

Era un lugar distinto, pero el Octavio Paz que se movía entre todo aquello seguía siendo el mismo de antes, de las otras escuelas del Gobierno, de las otras aulas más sencillas y modestas. Se paraba a admirar, claro está, aquellos enormes frescos que contaban la historia, la historia de México, de *su* México, y la de los hombres que la habían forjado y que la moldeaban día a día desde el anonimato hermoso y nunca bien reconocido de su trabajo.

Se embelesaba ante los murales, especialmente ante aquel que fuera el primero que pintó en toda su carrera Diego Rivera, y que se hallaba precisamente allí, en San Ildefonso, como un símbolo de las muchas cosas que podían tener allí su principio, entre aquellos muros que recogían la expresión de un arte puramente mexicano, al servicio de la Historia del propio país y de sus agentes.

En su esplendorosa juventud de los dieciséis años, Octavio Paz sabía que aún no se había encontrado realmente a sí mismo, pero lo que bullía en su interior sabía que iba a acabar por hacerse el objetivo y la guía de su vida y de sus pensamientos. Buscaba por todas partes, buscaba esa motivación de su propio ser, pero la buscaba, sobre todo, en su propio interior, en su persona, en su conciencia y en su identidad como ser humano que ansía tener algo que decir y aún no sabe muy bien cómo hacerlo.

Eran tiempos de corrientes extremas, en que uno podía inclinarse hacia uno u otro lado indistintamente, según como fuera el curso de sus pensamientos. Los del joven Octavio no podían sino sentirse inclinados inevitablemente hacia las posturas revolucionarias que, en cierto modo, y aunque de refilón, marcaran momentos muy concretos de su vida infantil.

Encontró en San Ildefonso buenos amigos, excelentes compañeros de clase, camaradas de inapreciable valor, que pensaban más o menos como él, porque la juventud puede tener en ocasiones muchos defectos, pero lo cierto es que atesora en cambio virtudes que le hacen ser fiel a determinados principios.

Las ideas revolucionarias de todos aquellos jóvenes no podían ser demasiado concretas, sino más bien difusas, con esa vaguedad que tienen las cosas para los que aún no han acabado de entenderlas del todo bien. Pero eran ideas que podían conducir a algún punto de identidad, y de ese modo, casi sin darse cuenta, Octavio y sus compañeros de estudios se vieron organizando una llamada Unión de Estudiantes Pro Obrero y Campesino, cuyos objetivos más directos eran los encaminados a conseguir y mejorar una educación popular para todos los mexicanos, ya fueran de familias pudientes o de las clases más desfavorecidas de aquella sociedad.

Pero en el fondo de todo esto latía un claro espíritu revolucionario, inspirado tal vez lejanamente en hombres como Zapata y otros defensores de la ideología de la Revolución. También el marxismo —sobre todo el marxismo, tan de moda por entonces, tan defendido y representado por grandes hombres de las artes y las letras— tenía su sitio inevitable en ese cuadro ideológico que tanto atraía a los jóvenes.

Aun así, cuando Octavio Paz leía los panfletos y los libros marxistas, las doctrinas de Lenin o de Trotski, se sentía menos identificado que con el recuerdo de las palabras y los escritos de su propio padre, zapatista, o de los idearios de la ya extinta Revolución.

Cierto que el confusionismo no podía sino hacer acto inevitable de presencia en aquella generación joven e insegura, que soñaba con idealismos revolucionarios entremezclados de tendencias comunistas, sin definir del todo una u otra cosa, aunque advirtiendo que, en el fondo, no todo ello era lo mismo.

Ellos, los jóvenes, pensaban que los tiempos iban a cambiar, porque la juventud siempre ansía cambiar las cosas, precisamente mientras dura la juventud y el aburguesamiento no ha hecho presa todavía de su idealismo e inconformismo. Octavio no era una excepción en ese modo de ser y de pensar, tal vez por ello amaba el sentido de la justicia por encima de todo, y sobremanera la justicia social que tantas y tantas veces —incluso ahora, en su presente— brillaba por su ausencia en las capas inferiores de la sociedad.

Él, como muchos otros, pertenecía a la clase media de México, y por tanto ni se sentía un miembro de la clase burguesa alta, predominante siempre, ni tampoco un ejemplo de las clases inferiores y más pobres del país, pero sus simpatías iban siempre, inevitablemente, de este último lado, porque sus sueños de justicia para todos y de una hipotética revancha contra los pudientes y los poderosos no podían conducirles en otra dirección que no fuera aquélla.

Lo realmente confuso para ellos llegaba cuando intentaban averiguar cómo pensarían realmente aquellos a los que ellos pretendían defender y representar. Porque sus mentes jóvenes e inexpertas estaban demasiado llenas de teorías y de suposiciones que muchas veces podían no encajar en la realidad pura y dura. Por ejemplo, se decía el joven Octavio en ocasiones, era muy hermoso y sonoro expresarse acerca de todo aquello de «la solidaridad proletaria internacional», como decían los marxistas-leninistas de la lejana Rusia, pero ¿eran realmente internacionalistas los trabajadores mexicanos, llegado el caso? ¿Se estaba lo bastante seguro, en otros círculos sociales, de cuáles eran las aspiraciones y los deseos auténticos de la clase obrera?

¿Estaba tan politizado en realidad el simple trabajador llano, ya fuera del taller o del campo, como lo estaban ellos mismos? En sus asambleas estudiantiles, donde se discutía ardientemente sobre todos esos temas que inflamaban el aire de los inicios de aquella década, lo cierto es que Octavio nunca había visto a un solo obrero, proletario o campesino presente, que dejara oír su voz y expresar ante los demás su propia opinión al respecto.

Eso, en ocasiones, le hacía dudar de muchas cosas. En el mundo estudiantil se daban por hechas muchas cosas que, probablemente, no eran las que se correspondían con la realidad. Tesis, dogmatismos, todo podía ser pura demagogia sin más, puesto que ellos poco o nada sabían del auténtico pensamiento obrero, que es el que contaba.

Esas contradicciones eran las que confundían demasiado frecuentemente a los estudiantes, y muy en especial a él. Se sentían ideólogos de un nuevo modo de pensar, tal vez por una primera ocasión en toda la historia de su país, puesto que, bien mirado, aquella joven generación mexicana, la de Octavio Paz, era a no dudar la primera que podía vivir como algo propio la historia del mundo actual, con el que se sentían solidarios.

Y uno de los factores más determinantes y nuevos de esa historia actual compartida con el resto del planeta, no cabía duda de que era la propia Revolución soviética y sus consecuencias, el nacimiento marxista, la expansión del comunismo a nivel internacional.

Lo que no se le puede negar a aquella generación joven e inquieta, tan comprometida con los problemas del mundo y con las nuevas corrientes ideológicas, era entusiasmo y curiosidad. Entusiasmo por manifestarse, curiosidad por saber.

Octavio Paz y sus compañeros de curso eran la nueva corriente de opinión de un México hasta entonces dormido, como larvado en viejas costumbres y ancestrales tradiciones, que de una vez por todas abría sus ojos a todo lo que venía de fuera y lo absorbía como propio, para no seguir viviendo al margen de ese otro mundo situado más allá de sus fronteras.

Eran rompedores, su pujanza resultaba incontenible, y no sólo la política, pese a llenar gran parte de sus vidas y de sus inquietudes, les preocupaba como único objetivo de sus inclinaciones. En ellos eran muchas las cosas que comenzaban a aflorar con un renovado impulso que ya ninguna hipocresía moral o social podía frenar o diluir.

Los jóvenes de los años 30 sabían muy bien descubrir experiencias nuevas. Ellos encontraban y cultivaban por un igual cosas como la amistad, el sexo, el alcohol, la mera diversión, pero también muchas otras cosas trascendentes, como podían serlo las artes, la literatura, la filosofía...

Eran muchos los que se preocupaban por leer a los más modernos escritores, por descubrir la última edición del mejor filósofo o pensador, el ensayo más reciente de los expertos en el tema. Pero también leían poesía. Mucha poesía.

Así empezaron a conocer a los poetas mexicanos, para después entablar relación con la poesía americana en general, o la europea, e incluso la asiática, si tenían la oportunidad de ello. En la poesía encontraban también una fuente inagotable de ideas, de sentimientos y de emociones. Empezaba a ser para algunos de ellos —no digamos ya para el propio Octavio— como un culto, una verdadera religión. Mucho de lo que no se encontraba en la prosa, por valiente que fuera, se podía hallar encerrado en un poema, en un simple verso.

El poeta iba siempre más allá, más lejos que los demás, y en sus versos podía hallarse un mundo entero de sensaciones nuevas, expresadas como sólo puede saberse expresar un poeta. Octavio, insensiblemente, aun dentro de aquel espeso bosque de ideologías, política, demagogias más o menos triunfantes, literatura y filosofía, iba inclinándose decisivamente hacia un mundo muy concreto, el de la poesía, que iba ganándole de forma paulatina e inexorable. Su mente, su espíritu, tal vez su alma misma, iban en esa dirección.

Todo era desordenado en esos tiempos. Porque los jóvenes siempre son —afortunadamente para ellos— desordenados en sus conceptos y en sus conclusiones. Por tanto, desordenadas eran también sus lecturas, como ha sucedido y sucede casi siempre a esas edades. Todo libro que caía en sus manos, sobre todo si pertenecía a una firma de determinadas características filosóficas, políticas o literarias, era no sólo leído, sino devorado ansiosamente, en un afán desmedido por ver nuevas ideas, pero sobre todo por asimilarlas, por entenderlas.

Octavio, por su parte, descubría en esos nuevos libros la poesía de un T. S. Eliot, abriéndole de par en par las puertas a la poesía moderna. No cabe mejor forma de empezar a conocer algo que iniciarlo por los más grandes, y es natural que, en un principio, a Octavio Paz le deslumbrara Eliot, como le deslumbró posteriormente la obra de D. H. Lawrence, pongamos por caso.

Era una forma espléndida de moldear el espíritu, de sentir inundada el alma por aquellas fuerzas naturales que emanaban con poderío desde las páginas de obras así. No importaba que muchas de las cosas allí impresas no pudiera entenderlas del todo o no llegaran a su total conocimiento. No importaba nada, porque lo verdaderamente importante era que conocía algo así como una nueva dimensión literaria que podía, ya no sólo formar sus cimientos personales, sino proyectar hacia un determinado punto todas sus aspiraciones y ensueños creativos.

Claro que en ese confusionismo propio del momento, de la época que les tocaba vivir a aquellos jóvenes inquietos, también caían en sus manos los libros marxistas, con toda su carga ideológica —y en muchas ocasiones demagógicas por naturaleza—, de autores como Pléianov o Bujarin, y los leían y releían con parecido entusiasmo, porque era lo que entonces «se llevaba» y resultaba natural que interesara e incluso apasionara a la juventud ávida de nuevas sensaciones y de ideas y postulados originales.

Era natural que toda aquella pléyade de estudiantes se sintiera enemigo común de toda forma de autoritarismo, porque la semilla de la rebeldía y del inconformismo germinaba en ellos como una planta de savia nueva puede germinar en una tierra predispuesta para ello.

Pero tan capaces eran de experimentar todas esas nuevas lecturas y conocimientos como de sumergirse en la densa prosa de obras como *La decadencia de Occidente,* pongamos por caso. Quizá la explicación de tanta diversidad estuviera precisamente en su avidez por saber, por ir siempre un poco más lejos, por romper con un pasado en el que nadie se preocupaba por nada que no fuera aquello que tenía más cercano y que le fuera más familiar.

No cabe duda, por lo que vemos, que los años 30 eran rompedores en muchas cosas para la juventud mexicana, y no es de extrañar que esa generación pudiera dar al mundo a alguien como Octavio Paz, representante idóneo por excelencia de aquella inquieta generación.

Por si ello fuera poco, empezaban a hacerse populares en todo el mundo las peculiares teorías de Sigmund Freud sobre el sexo y el psicoanálisis, y México no se libraba de tal modo. Las traducciones de la obra del vienés aparecieron en los aparadores mexicanos y, de inmediato, se ganaron la curiosidad masiva de los jóvenes lectores, ansiosos por conocer las obras del profesor europeo, que fueron, naturalmente, tema de discusión obligada a partir de entonces, como ya lo eran casi todos los lugares del mundo.

No resultaba extraño del todo el éxito inicial de la obra de Freud en el México de aquellos años, porque ya antes la juventud estudiantil había conocido profundamente a otro autor europeo, aunque éste fuera alemán y no austríaco, y su obra era eminentemente filosófica. Pero en la Escuela Nacional Preparatoria de San Ildefonso era práctica habitual utilizar como texto básico de la enseñanza de filosofía los textos de Alexander Pfänder, discípulo predilecto del también filósofo de igual nacionalidad, Husserl.

Se publicaban otras de muchos autores, que pasaban a ser lectura obligada de Octavio y de sus compañeros de estudio, así como de toda la juventud inquieta de su tiempo, y junto a Eliot, Lawrence o Freud, no era nada extraño encontrar en las librerías de México obras del checo Kafka o del norteamericano William Faulkner, entre muchos otros.

Era una mezcla indescriptible de estilos, géneros, tendencias e ideas, como se ve. Pero Octavio lo asimilaba todo, tratando de hallar su definitivo camino, sus preferencias decisivas de cara al inmediato futuro, un futuro que, en cierto modo, empezaba ya a presentir de alguna manera en lo más hondo de su ser.

Capítulo II

Aquel delicioso desorden de lecturas, de ideas, de tendencias, de criterios, no podía conducir a nada malo, porque nunca puede ser mala la inquietud por saber y el ansia por conocer siempre algo más.

En este caso, no iba a haber ninguna excepción. Las cosas dieron sus buenos resultados, tanto a corto como a largo plazo.

Octavio y sus incondicionales amigos y camaradas buscaban con creciente afán nuevos horizontes para ampliar sus conocimientos, buceando con habilidad en los catálogos, en las estanterías de los libreros, buscando lo mejor y más selecto dentro del verdadero alud de novedades que aquellos años iban trayendo consigo, en especial en lo que se refería a obras de divulgación.

No todo era bueno ni todo les gustaba, pero siempre encontraban algo que pudiera resarcirles de su búsqueda e incluso de sus posibles fracasos cuando se tropezaban con mediocridades o con obras que, para ellos, carecían del menor interés o que no aportaban nada nuevo a su afán de saber.

Por fin hallaron un verdadero faro de luz entre toda la mediocridad, que les permitía afinar en su búsqueda y hallar aquello que realmente tenía interés para ellos. Esa guía no era otra que la *Revista de Occidente,* donde les era posible encontrarse no sólo con nombres prestigiosos, obras importantes y teorías para ellos nuevas y recién descubiertas, sino que llegó a constituir para Octavio y sus amigos, e incluso para toda aquella generación, una verdadera fuente de inspiración y de atalaya para contemplar las inimaginables perspectivas que buscaban.

A la *Revista de Occidente,* siempre la preferida de todos ellos, se unirían pronto otras publicaciones de parecida orientación, revistas a través de las cuales se podía penetrar más fácilmente en los más amplios y modernos movimientos literarios y artísticos, como fue el caso de *Contemporáneos,* de *Cruz y Raya* o de *Sur,* las más importantes después de la que ellos consideraban como fuente maestra de todo intento de conocimientos renovados.

Su amor por la poesía iba en aumento, sobre todo en el joven Octavio, que era quien con más ahínco buscaba en aquel género literario concreto aquello que más satisfacía a su espíritu, a su curiosidad y, por encima de todo, a su sensibilidad personal, a sus sentimientos más profundos. Admiraba la prosa, le encantaba la belleza de la misma, pero no había comparación cuando se hallaba ante poemas nuevos, ante poetas que tenían algo que decir y sabían cómo decirlo. Entonces era como si uno de aquellos personajes de sus antiguas novelas de aventuras hubiera hallado el tesoro que estaba buscando durante sus ingenuas correrías.

El más preciado de los tesoros para Octavio era un buen poema, una hermosa poesía, una concatenación de versos, fluyendo del alma de su creador, quienquiera que éste fuera, y que le iban directos al corazón y a la mente, como algo de supremo valor.

Todas esas inquietudes literarias, sin embargo, no podían en modo alguno debilitar sus creencias políticas, siempre presentes, y que eran muchas veces la verdadera guía de sus apetencias literarias. Como todos los jóvenes de su época, eran admiradores incondicionales de los principios marxistas, ardientes seguidores de los nuevos dogmas que llegaban de las lejanas tierras soviéticas. Todos y cada uno de ellos era un fervoroso entusiasta de la Revolución de Octubre y de cuanto significaba el bolchevismo para sus mentes juveniles, deslumbradas por aquella ideología en la que realmente creían, aunque andando el tiempo muchos de ellos empezaran a descubrir que, por desgracia, las más hermosas teorías pueden desembocar en el mayor de los fracasos cuando los hombres que han de llevarlas a la práctica traicionan sus propios principios.

Pero para ellos Stalin no era aún el que sería andando el tiempo y creían de buena fe en que las consignas del bolchevismo ruso podían ser el ideario que salvara al mundo, dirigiéndole hacia nuevos y mejores horizontes.

Todavía Trotski no era el gran perseguido del zar ruso, ni el estalinismo totalitario había surgido como la gran sombra que borrara de un plumazo los grandes ideales y ensueños que despertaba la Revolución. Eran momentos para soñar, y aquellos muchachos jóvenes soñaban, porque para eso eran jóvenes y crédulos, y confiaban en que las utopías eran posibles.

Así, no es de extrañar que cuando las obras del francés André Malraux cayeron en sus manos, se quedaron todos de una pieza, deslumbrados por aquel hombre que, con su palabra escrita, conseguía esa rara unidad que pueden conseguir los radicalismos políticos cuando se saben ensamblar con mano maestra con la estética más moderna. Malraux fue para ellos como un nuevo soplo de inspiración de unánime asombro, y no es sorprendente que sus novelas pasaran de mano en mano por aquel grupo de entusiastas y ávidos lectores, encabezado por el más que inquieto Octavio Paz.

Aunque habituados a la lectura, no todo les era comprensible, y sus cabezas estaban, tal vez, demasiado saturadas de teoría política, de tesis culturales, de movimientos filosóficos, de tendencias literarias, de prosa no siempre inteligible o de poesía a veces confusa por lo abstracta.

Les costaba admitirlo, pero muchas veces entendían la mitad de la mitad de cuanto absorbían, y eso les confundía e irritaba, sobre todo a Octavio, que se preguntaba cuándo iba a ser capaz de discernir con total claridad tantas y tantas cosas que se escapaban a su comprensión y que sabía importantes.

No se daba cuenta de que en aquel año de 1930 solamente contaba dieciséis años, y había leído posiblemente mil veces más que cualquier otro mexicano a los sesenta. Sus ansias de saber corrían parejas con sus inquietudes, pero era aún demasiado joven para poder alcanzar un grado total de comprensión de tantas materias como quería abarcar, y no podía comprender que cada cosa necesita su tiempo, y además aquéllos eran momentos de confusión en muchos aspectos tanto políticos como literarios, que las ideas surgían constantemente, que las teorías estaban a la orden del día, que los movimientos culturales no cesaban, y que tanto el verso como la prosa sufrían constantes cambios de orientación y de estilo, agitados por los vientos renovadores de muchas, tal vez excesivas, tendencias del momento.

Aun así, era un adicto total a las páginas de aquellas revistas orientadoras, y fue aficionándose cada vez más a una en concreto, *Contemporáneos,* que era editada por un grupo de escritores mexicanos, aunque estuviera abierta a todas las nuevas tendencias literarias, y, por supuesto, también era como un mirador siempre dispuesto a otear en horizontes ajenos a la propia cultura literaria mexicana.

Era una gran revista, pero en ella se daban precisamente muchas de las circunstancias que tanto irritaban a Octavio y a sus camaradas: no siempre eran capaces de comprenderla, aunque en ocasiones fingieran todo lo contrario, para no admitir lo que consideraban un fracaso de su intelecto.

Y es que el contenido de *Contemporáneos* podía ser muchas cosas, pero no precisamente fácil, y menos para un grupo de jóvenes de precoces anhelos y aspiraciones. En sus brillantes páginas era habitual encontrarse con textos de Neruda o de Borges, cuando no a Cuesta o a Valéry, e incluso Perse o Villaurrutia eran frecuentes en aquella revista.

Demasiado para aquellos muchachos, obviamente, pese a que intentaran penetrar en todo ello con entusiasmo y fidelidad dignos de todo elogio. Algunas cosas las comprendían, otras les maravillaban y muchas les sorprendían o desconcertaban.

Pero bien que mal, ellos seguían adelante con sus maravillosas inquietudes y rara vez se rendían. Octavio, menos que nadie. Cuando no comprendía algo, lo releía una y mil veces, hasta tratar de entenderlo y, aunque no lo llegara a conseguir del todo en ocasiones, todo eso constituía un ejercicio de primer orden para mejorar día a día su capacidad de comprensión y, sobre todo, para familiarizarse con aquellos textos inimitables, que tanto iban a influir luego en su vida y en su obra.

Los editores de la revista, evidentemente, eran personas inquietas también, escritores mexicanos no conformes con encerrarse entre los muros culturales de su propio mundo, sino empeñados en que su publicación fuera como un ventanal abierto a todo el mundo, al resto de países y de culturas, de escritores y de tendencias, de nacionalidades y de idiosincrasias. En suma, una ventana abierta a la Cultura, con mayúsculas, mexicana o foránea.

Era un empeño loable —y no siempre fácil— de que nuevos aires culturales entraran en el país, barriendo viejos y obsoletos modelos de aislamiento literario y artístico. Octavio Paz se daba ya cuenta de eso; por tanto, admiraba la revista como admiraba cuanto en ella se editara, pero muy especialmente sentía una profunda admiración por sus editores y colaboradores locales, aunque le fueran personalmente desconocidos.

Luego, andando el tiempo, las cosas iban a cambiar en ese sentido. Sus propias inquietudes le llevarían a conocer a algunos de los colaboradores y editores de *Contemporáneos,* durante su período de estudios en San Ildefonso. Sin ir más lejos, en 1931, entabló conocimiento con Carlos Pellicer, el cual entablaría con él una buena amistad, iniciada por la afortunada circunstancia de que fuera Pellicer el elegido por el colegio para dar clases de literatura hispanoamericana.

Pronto se dio cuenta el escritor mexicano de lo que era y lo que podía llegar a ser aquel inquieto alumno de diecisiete años, ávido de saber, entusiasta de la lectura y, sobre todo, y muy especialmente, fanático de la poesía. Entre ambos se estableció de inmediato una corriente de mutua simpatía que iba más allá de la relación entre maestro y alumno. Por ello no era raro que ambos pasearan, tras terminar las clases, por los largos pasillos del recinto escolar, charlando de mil temas relacionados con la literatura, y aunque otros muchachos del grupo, amigos y compañeros de Octavio, tan aficionados como él mismo a la lectura, formaran parte en ocasiones de esas charlas amenas y educativas, lo cierto es que Pellicer prestaba más atención a Octavio que a los demás, admirado interiormente por las virtudes que ya se adivinaban en aquel muchacho inquieto, preocupado tanto por las ideas políticas del momento como por las tendencias literarias que venían del mundo exterior, sin olvidarse nunca de las profundamente autóctonas de su tierra mexicana.

Carlos Pellicer vivía por entonces en una casita situada sobre el barrio de Las Lomas, en Chapultepec, y allí iba Octavio con cierta frecuencia, unas veces solo, otras en compañía de sus amigos, para tener con el escritor amplias charlas sobre los temas que les eran tan queridos. Pero su maestro no era solamente un buen literato. Había viajado mucho, y era un buen narrador.

Por ello no resulta sorprendente que, en aquellas reuniones de Chapultepec, rodeado por un cerco de fascinados muchachos, o bien a solas con su alumno predilecto, en un *vis a vis* amigable y casi paternal, se extendiera en narrar ampliamente sus viajes, sus lugares conocidos, los rincones del mundo adonde le había llevado la vida, y esas charlas eran en sí infinitamente más amenas y deslumbrantes que todas las sesudas disquisiciones sobre cultura o arte.

Pellicer había viajado mucho. Se conocía tan bien las cataratas de Iguazú, por ejemplo, como el arte y la historia de la vieja Florencia renacentista, y podía relatar, casi como si fuera posible vivirlo, su viaje a Turquía, sus paseos por las orillas del Bósforo o la navegación por aguas mediterráneas.

Eran relatos vívidos pero sencillos, que casi convertían en una sucesión de imágenes sus propias palabras, y los muchachos podían ver aquellos remotos lugares con los ojos de su imaginación, preguntándose acaso si ellos, alguna vez en su vida, saldrían de su México natal para llegar tan lejos, a lugares tan hermosos y desconocidos.

Octavio no sabía entonces lo mucho que él iba a viajar, lo lejos que le llevaría la vida en ocasiones y los lugares de maravilla que desfilarían ante sus ojos. Aquellas narraciones de Pellicer quedarían cortas para el futuro viajero de Octavio Paz; pero eso, entonces, él no podía saberlo ni sospecharlo remotamente.

Su maestro de literatura era, además de un viajero infatigable y un gran narrador, un literato de primera, especialmente un gran poeta, como era bien sabido. Oírle recitar sus propios poemas, con aquella voz suya, profunda y sentida, era un deleite para los oídos y un bálsamo para el espíritu. Octavio le escuchaba embelesado, sobrecogido a veces, cuando la voz de Pellicer descendía de tono, hasta hacerse aún más profunda y resonante.

Eran poemas modernos, recitados de una forma tal vez algo antigua, pero más modernos que todo cuanto había oído o leído Octavio hasta entonces. Su métrica, su sentido de la armonía, todo en absoluto era nuevo en aquellos versos, cuya modernidad les hacía tan sorprendentes como cautivadores a los oídos. Octavio sintió nacer dentro de él una repentina y honda admiración por aquella forma de escribir poesía, por aquel fluir de un verso distinto y rompedor.

* * *

La amistad con Pellicer fue decisiva en muchos aspectos para el joven Octavio, y no sólo por él mismo, sino por lo que significó de nexo con otros autores, otros poetas de su misma generación, que llegó a conocer el muchacho gracias a su amistad con aquel hombre, y que terminarían por abrir los ojos, los oídos y la mente de Octavio a los recovecos y misterios más profundos de la poesía moderna.

Así llegó a conocer personalmente a autores de la talla de Cuesta, Villaurrutia, e incluso posteriormente a José Gorostiza. Era como abrir los ojos a un nuevo mundo literario, donde las cosas eran ya muy distintas a como habían sido hasta entonces.

A fin de cuentas, el joven Octavio recordaba todos aquellos libros que había leído en la biblioteca de su abuelo, pero ésta era limitada, lógicamente, a un tiempo concreto, y hasta entonces Octavio había pensado que allí terminaba todo.

Los libros más modernos de don Ireneo databan de los inicios del siglo, y tal vez lo más actual que se podía hallar entre ellos eran las obras de Emile Zola. Desde que Octavio ingresara en la Escuela Nacional Preparatoria, había descubierto que aquello pertenecía a otros tiempos, que existía una literatura moderna, ya fuera prosa o verso, y que ésta poco tenía que ver con aquellas obras de tiempos pasados. Todo evolucionaba. Y vaya si habían evolucionado los escritores y sus estilos, pensó admirado.

Ahora, Gosrostiza y los demás le permitían ver que, incluso dentro de las nuevas corrientes literarias, había cosas aún más modernas, autores que rompían todos los esquemas que se habían podido hacer anteriormente.

Descubrir a los diecisiete años la poesía moderna ya tenía su mérito, pero era cosa lógica cuando un muchacho llevaba ya tantos años embebido en la lectura, en una incesante búsqueda de todo lo mejor y de todo lo actual.

Ya no eran sólo los grandes poetas extranjeros, que se traducían al español, con la pérdida de los valores originales del autor y de su obra, que siempre significa toda traducción, sino que empezaba a conocer en profundidad a los grandes poetas de la lengua española, ya fueran mexicanos o de otros países de su misma habla.

De ese modo, sin apenas darse cuenta, Octavio se encontró hojeando con embeleso las obras poéticas de Borges o de Guillén, del propio Pellicer, de Vallejo e incluso del poeta español Federico García Lorca. Todos le fascinaban casi por igual, cuando de repente posó sus ojos en los textos del gran Pablo Neruda. Ése sí fue para él un verdadero impacto emocional.

Neruda le impresionó intensamente, de un modo casi arrollador, y leía y releía sus obras con un afán casi enfermizo, subyugado por el poder de aquel verso, por la grandeza de aquel auténtico genio de las letras que acababa de descubrir.

De toda su obra, le impresionó, por encima de otros títulos, el que entonces fue considerado como el fruto más espléndido del gran poeta: *Residencia en la tierra.* Octavio lo leyó tantas veces, que llegó a conocérselo casi de memoria, y cada vez le encontraba nuevo significado y nuevas sensaciones.

Todo aquel caudal de conocimientos nuevos, de experiencias renovadas en lo cultural, no solamente no extinguían el fuego ideológico de la juventud mexicana, sino que alimentaban aún más la llama de su radicalismo político, que asociaban siempre con los textos de sus autores favoritos.

Tal vez por esa razón, una nueva idea surgió de sus mentes, y Octavio propuso a sus compañeros algo que podían hacer realidad si se empeñaban en ello con el necesario entusiasmo. Se trataba de una experiencia nueva pero fascinante:

¿Y si ellos se hacían editores?

Inicialmente, la propuesta dejó asombrada a la mayoría y desconcertó a casi todos. No se sentían capaces de semejante hazaña. Una cosa era leer, leer mucho. Otra muy distinta, editar, publicar escritos propios.

Octavio, tenaz, insistió en su sugerencia, expuso sus ideas, sus planes y el modo de llevarlos a la práctica. Terminó por convencerles a todos.

Y se hicieron editores. Octavio Paz se hacía editor a la edad de diecisiete años, ni más ni menos.

* * *

Era 1931 cuando aparecía la primera revista editada por Octavio Paz y sus amigos. Se llamaba *Barandal*. Era una revista que pretendía expresar tanto la modernidad literaria como el radicalismo político de sus editores y colaboradores.

Octavio Paz la hacía con la sola ayuda de tres de sus mejores amigos y camaradas: Salvador Toscano, Rafael López Malo y Arnulfo Martínez Lavalle. Parecía tener inicialmente un éxito bastante aceptable, pero lo cierto es que la aventura no resultó todo lo bien que sus autores esperaban, ya que *Barandal* solamente editó siete números antes de desaparecer.

Lograron colaboraciones de alumnos de otros cursos, gracias a la mediación de amigos comunes, e incluso le fue posible contar con la colaboración de Efraín Huerta, a quien le unió una buena amistad que iba a durar para siempre. Hubo otros muchos colaboradores, todos ellos alumnos del colegio, tan aficionados como ellos a la poesía o la prosa, más a la primera que a la segunda, pero aun así la publicación terminó yéndose al garete sin remedio.

Eso hubiera servido para dar por vencido a cualquiera, pero ni Octavio ni sus amigos eran personas fáciles de vencer por la adversidad, y se esforzaron por repetir la experiencia, procurando evitar los posibles errores cometidos en su primer intento.

Así nacería su segunda revista propia, titulada ahora *Cuadernos del Valle de México,* y en esta ocasión intercalaron, como suplemento de la publicación, textos de autores ya consagrados, empezando por el propio Carlos Pellicer y siguiendo por otros como Salvador Novo o Xavier Villaurrutia. Todos aceptaron la invitación estudiantil a colaborar en aquella publicación, y eso llenó de entusiasmo a Octavio y sus amigos, que vieron en esa posibilidad una remota esperanza de mantener esta vez la revista durante más tiempo que la anterior, y prolongar así su vida.

Es más, como Salvador Novo era por entonces jefe del Departamento Editorial de la Secretaría de Educación Pública, Octavio se atrevió a visitarle para pedirle esa colaboración y toda la ayuda posible por parte de su Departamento. Urrutia trabajaba para él en la Secretaría, de modo que la cosa fue posible, y las dificultades comenzaron a allanarse para los jóvenes y audaces editores de la nueva revista cultural.

Las cosas, esta vez, parecían ir por buen camino. Y Octavio Paz se felicitaba por ello, soñando con llegar a ver impresos sus propios versos, pero para eso aún tenía que sentirse seguro de sí mismo y, pese a cuanto trabajo poético intentaba en la intimidad, no acababa de ver en ellos la calidad suficiente como para lanzarlos al público, temeroso de un ruidoso fracaso que pudiera hacerle mucho daño.

Capítulo III

Aquellas experiencias editoriales de los jóvenes estudiantes de la Escuela Nacional Preparatoria de San Ildefonso tal vez no estaban destinadas a hacer historia en el México de los años 30 ni en su panorama editorial, pero sí iban a significar, cuando menos, una ruptura clara y abierta con un anquilosamiento de años, de décadas enteras, abriendo las puertas y las ventanas al aire fresco y revitalizador de las modernas corrientes literarias que imperaban en el mundo.

Eso, por sí solo, era no sólo suficiente, sino incluso demasiado, teniendo en cuenta que era el resultado del esfuerzo modesto y limitado de un pequeño grupo de alumnos aventajados, inquietos, movidos por sus sanas impaciencias de libertad, de amplitud de miras, de una proyección, en suma, hacia lo que venía de fuera y un enriquecimiento y difusión de lo que era propio.

Aquellos inefables *Cuadernos del Valle de México,* como anteriormente el reducido tiempo que sobrevivió la primera experiencia de *Barandal,* ya eran de por sí un gran triunfo de las inquietudes juveniles, y un hermoso intento de ruptura con la monotonía reinante durante tantos y tantos años de inmovilismo.

Si antes habían logrado hacer ver la luz meritorias colaboraciones de futuras figuras patrias, como Raúl Vega Córdoba, José Alvarado, Manuel Rivera Silva o Enrique Ramírez, ahora sus ambiciones iban mucho más lejos y esperaban poder contar con colaboradores de mayor fuste aún, de los auténticamente consagrados.

Por eso lograron colaboraciones de gente como Salvador Novo o el gran Xavier Villaurrutia, personaje no siempre fácil ni accesible, pero que se prestó a colaborar con ellos de buen grado, tras escuchar las explicaciones de un Octavio Paz seguro de sí mismo y decidido a llevar adelante su primer proyecto serio para difundir la cultura de su país y de otros países entre las gentes de México que, como él, ansiaban una apertura definitiva que les aproximara al mundo apenas entrevisto hasta entonces de las corrientes literarias y políticas, de la modernidad en la prosa o en el verso, de la cultura en suma, que era lo que importaba.

Aquellos *Cuadernos* eran en sí toda una aventura. Una de esas maravillosas aventuras que sólo parecían posibles leyendo al americano Melville, al británico Stevenson o al francés Verne. No era la aventura de los viajes, de las islas deshabitadas, de los mares desconocidos o de los mundos inexplorados, sino la aventura cotidiana de lo intelectual, de lo que significaba expansión y ampliación de miras, de apertura a todas las corrientes, incluso las más audaces y extremas, ¿por qué no?

Así, mientras unos preferían a Neruda, otros se inclinaban por García Lorca; éstos elegían a Huidobro y aquéllos se declaraban seguidores de Alberti. Cada cual tenía sus preferencias, ya fuera editor o lector de la revista, y todas las opiniones eran respetables y respetadas, aunque aquella especie de culto que les unía en el fondo no dejaba de separarles luego en grupos de determinada preferencia.

Lograron publicar en su revista algunos poemas del español Alberti, que pronto se iba a convertir en uno de los abanderados de aquella generación, paradigma de libertades y vehículo ideológico de algo tan caro a todos ellos por entonces como era la doctrina comunista.

Transcurría 1934 cuando corrió la noticia por todas las aulas, especialmente en la Facultad de Derecho donde estudiaba Octavio Paz a la sazón, de que el propio Rafael Alberti iba a visitar México, y la novedad fue como un reguero de pólvora que alcanzó a todos los rincones del centro, provocando un cataclismo de reacciones, en especial entre sus adeptos y admiradores, que eran muchos, por no decir casi todos. Alberti, el gran Alberti, el soñado Alberti, mito entre los mitos de la época, iba a estar allí, entre ellos, aunque su presencia, por lo que se decía, no fuera del todo por motivos literarios, sino más bien por razones políticas muy concretas.

Octavio supo que la visita del poeta de Puerto de Santa María —curiosamente una de las cunas maternas de Octavio, puesto que uno de sus abuelos por parte de madre procedía justamente de esa localidad gaditana— formaba parte de su gira mundial propagandística, como representante de un llamado Socorro Rojo Internacional. Aquello olía a comunismo puro, a bolchevismo del que en México sólo se sabía por referencias más o menos distantes, llegadas de la Unión Soviética, y la posibilidad de verse ante un hombre como Alberti, para aquellos jóvenes de ideas eminentemente revolucionarias, no podía por menos de ser frente de emociones sin cuento y de impaciencias difícilmente soportables.

Lo cierto es que Alberti acababa de ingresar en el Partido Comunista Español, cosa que en aquellos años le proporcionaba una aureola casi mítica para la juventud mexicana, ávida de codearse, siquiera fuera por unos momentos, con alguien venido de fuera que representaba tanto dentro del partido y de las doctrinas tan en boga por entonces, no ya en la lejana España, sino en aquel México postrevolucionario, pero siempre dispuesto a hacer de la Revolución una de sus grandes ambiciones.

Alberti llegó a México. Entre discurso y discurso, soflama y soflama, acto propagandístico y conferencia prosoviética y prorroja, tuvo tiempo de reunirse con sus jóvenes y grandes admiradores mexicanos. Y eso sí que era para aquel grupo de muchachos todo un acontecimiento capaz de hacer tambalear los cimientos de su solidez como estudiantes, como amantes de la literatura e incluso como adictos al radicalismo político tan en boga.

La reunión tuvo lugar en un bar, de forma algo anárquica y bastante informal por cierto. La persona de Alberti, a Octavio Paz, le resultó en principio impresionante, no supo si por su aspecto físico o por lo que en sí representaba. Pero a medida que avanzaba la reunión, lo cierto es que, pese a sus convicciones ideológicas, y hasta a su admiración innata hacia aquel hombre como poeta, muchas de esas mismas convicciones empezaron a resquebrajarse un poco, y creyó descubrir a un Alberti distinto al que él imaginaba, algo distante, fríamente cortés y difícilmente entusiasta con sus jóvenes seguidores.

Esa impresión se reforzó en él cuando advirtió que a cada intervención de alguno de sus compañeros y amigos, recitando uno de sus propios poemas para que el gran poeta español juzgara, la reacción de Alberti era más bien glacial, escasísima en palabras —sobre todo de elogio—, y como si todo aquello empezara a fastidiarle un poco. ¿Era culpa de Alberti, pensó, o el fallo estaba en la discutible calidad de los poemas de sus compañeros?

Con esa duda en su interior, le tocó a él levantarse y tomar el turno, recitando su propia obra. Hasta entonces, había escuchado toda una serie de poemas altamente combativos, cargados de contenido social o político y que, sin embargo, parecían haber dejado bastante frío al oyente. Octavio Paz, que se disponía a leer poemas más bien íntimos, contenidos y sin carga ideológica alguna, se preguntó si valía la pena hacerlo o no. Estuvo a punto de volver a sentarse y callar, notando que el rubor y la inseguridad se apoderaban de él por momentos, haciendo cada vez más difícil el empeño.

«Es mejor callar», se dijo. «No va a hacerme ni caso.»

Pero era demasiado arrogante, demasiado orgulloso y demasiado entero para admitir tan fácilmente una derrota. Al menos, no la aceptaría sin combatir antes. El espíritu revolucionario de su padre debió servirle de inspiración en esos momentos, porque, haciendo de tripas corazón, terminó por ponerse en pie, aclarar su garganta, mirar fijamente al poeta gaditano, que esperaba en silencio su intervención, y comenzar su recital sin más, ocurriera lo que ocurriera.

Y lo hizo. Vaya si lo hizo.

Rafael Alberti, como él esperaba, escuchó en silencio sus poemas, mirándole a su vez con fijeza, como si se diera exacta cuenta de su estado de turbación, pero no comentó nada al respecto.

Cuando hubo terminado, se limitó a hacer un breve comentario, como en todos los casos anteriores, y extenderse en un elogio colectivo dirigido a todos ellos, que podía significar mucho o no querer decir nada en concreto.

Pero cuál no sería la sorpresa del desorientado Octavio cuando, terminada la reunión, y ya camino de la salida, notó a su lado la presencia de Alberti, y éste, apoyando su mano en el hombro del joven, le dijo unas palabras que iban a quedar grabadas para siempre en la mente y en el corazón del mexicano:

«En lo que escribes hay una búsqueda del lenguaje y por eso tus poemas, en el fondo, son más revolucionarios que los de todos ellos. Tú te propones explorar un territorio desconocido, el de tu propia intimidad, y no pasearte por parajes públicos en donde no hay nada que descubrir.»

Aquellas palabras de Rafael Alberti, pronunciadas junto a su oído, con tono sincero y cálido, jamás fueron olvidadas por Octavio Paz, que tuvo ese criterio del que para él era entonces guía y faro de sus inquietudes poéticas, como un verdadero credo a seguir fielmente durante el resto de su vida.

* * *

Los años 30 eran para la juventud mexicana tiempo de cambio y de revolución silenciosa pero eficaz. Era una especie de auténtica revolución cultural, donde se rompían los viejos moldes, se arrinconaban las actitudes pasivas y se movía toda la generación en un empeño muy loable por cambiar las cosas a mejor, por despertar inquietudes hasta entonces dormidas —si no muertas o en un interminable letargo peor que la misma muerte—, y esa juventud era capaz de escribir e incluso editar revistas y libros con sus textos y sus poemas, rompiendo un muro de resignación y de indiferencia que había mantenido a otras generaciones totalmente al margen de toda inquietud cultural.

Ahora todo era distinto. Eran años de actividad, de extremismo, de rebeldía manifiesta, de idearios de izquierda cada vez más radicales. Los jóvenes frecuentaban tertulias, cafés donde cambiaban impresiones y exponían sus tesis, frecuentaban los teatros experimentales, se preocupaban por asistir a exposiciones de pintura, clásica o moderna; formaban parte activa de conferencias sobre temas sociales, culturales o políticos, y eran espectadores de conciertos de música clásica o moderna también.

Era, por tanto, una generación radicalmente distinta. Habían nacido en los años 14 y 15, eran como «hijos de la Revolución» ya marchitada, pero que formaban por sí mismos otro tipo de revolución muy distinta, incruenta, en la que las armas eran sustituidas por la pluma, el papel, la imprenta, el libro, el texto, el poema, la palabra, la idea, el sueño o la utopía, según los casos.

Era el despertar de México a las corrientes del pensamiento y de la cultura, viniera de donde viniera, y eso tenía que notarse para bien, porque todo aquello era sano, aunque a veces estuviera teñido de un exceso de politización, por otro lado muy comprensible en una generación nacida en tiempos en los que había reinado por encima de todo el absolutismo, cuando no el autoritarismo más exacerbado. Contra ese peligro iban enfocados sus esfuerzos en realidad.

Para aquellos jóvenes, la ignorancia era el mejor medio de facilitar la intolerancia, el despotismo y hasta la dictadura. Su posición, por tanto, tenía que ser radicalmente de izquierdas, basada en las nuevas corrientes llegadas de Europa. Los mayores no tendían posiblemente nada de todo aquello, empecinados como estaban, y como habían estado siempre, en su modo particular de entender la vida y la sociedad. La generación de los que fueran lectores de *Contemporáneos,* pongamos por caso, poco o nada tenían que ver con sus mayores, que sólo entendían un modo de hacer la revolución: a tiros. Eso, el que lo entendía, que no eran todos, porque la mayor parte del mundo social mexicano permanecía anquilosado política e ideológicamente en posturas propias de otros tiempos, que poco o nada tenían que ver con la de aquellos jóvenes dispuestos a romper moldes.

En 1933, Octavio Paz había logrado publicar un pequeño folleto de poemas, que él denominó *Luna Silvestre.* Era una de sus primeras obras, y no se sentía especialmente orgulloso de ella, pero había apuntado ya en aquella obrita muchas de sus propias convicciones íntimas.

Tenía entonces solamente diecinueve años y la obra no podía ser perfecta, pero en aquellos pocos poemas expuso su idea de que la poesía debía ser algo totalmente inseparable de la defensa de las libertades del hombre. Para Octavio, una cosa era imposible sin la otra. El poeta no puede ser un hombre privado de libertad, como la poesía misma tampoco podía entenderse falta de esa misma libertad ni sometida a censura o presión alguna. Él pensaba que eso en modo alguno podía ser poesía de verdad.

¿Eran poesía y revolución partes integrantes de un mismo todo? Octavio daba a esa pregunta una respuesta rotundamente afirmativa. Sí; poesía y revolución eran como factores imposibles de separar, facetas de un mismo movimiento, de una pasión común a ambas cosas.

Eran ideas de un hombre joven y rebelde, sin duda alguna. Pero ideas compartidas por toda la juventud de su tiempo, por toda su generación, por todos los jóvenes mexicanos de aquella década cambiante y rompiente de los años 30.

Casi todas las publicaciones del momento, por cierto, y como corroborando esas convicciones de Octavio, solían estar dedicadas por entero a la poesía. Los nuevos literatos parecían despreciar la prosa como vehículo de sus ideas, y si no despreciarlas, sí al menos apartarlas, para decantarse por la poesía como el vehículo ideal de sus formas de expresión.

Una nueva publicación apareció en el mercado, bajo el título de *Taller Poético,* siguiendo esa corriente tan de moda en los nuevos autores, y su éxito fue inmediato, tal vez como prueba de que las cosas eran realmente así. En esa revista literaria, que dirigía Rafael Solana, colaboraban la mayor parte de los poetas de mayor valía del momento. Firmas como la del propio Carlos Pellicer, se unían a las de otros como Efraín Huerta, Enrique González Martín o Alberto Quintero Álvarez, lo que da una idea de la importancia, no sólo de aquella publicación, sino del movimiento poético local, que demostraba la fidelidad de los poetas mexicanos con las nuevas corrientes político-sociales y literarias del momento en el resto del mundo.

* * *

Otra de las cosas que diferenciaban grandemente a aquella joven generación mexicana de las anteriores, era su asistencia habitual a reuniones y mítines políticos organizados por agrupaciones o partidos de la izquierda, incluso de la más radical.

Eso era impensable en tiempos anteriores, en que solamente los hombres de edad se preocupaban por la política y demostraban alguna inquietud en ese sentido, aunque de modo mucho menos combativo y ardoroso que los jóvenes de ahora. Incluso al lado de la generación anterior, a la que dieron en llamar «la generación de los *Contemporáneos*» —por alusión a la revista del mismo nombre que editaran en su día, y que fuera guía y faro de los inconformistas y de los inquietos durante bastante tiempo—, puede decirse que la nueva generación, la del propio Octavio Paz, la de los nacidos en los años 14 y 15, tenía poco que ver con sus antecesores, de quienes, en todo caso, heredaron su afán combativo contra la indiferencia de su entorno, cuando no de la abierta hostilidad de los demás contra ellos.

Se sentían en cierto modo solos, aislados en medio de una sociedad que no les entendía ni tampoco lo pretendía en ningún momento, que no era capaz de compartir sus inquietudes ni sus inclinaciones hacia la que ellos, despectivamente, denominaban «modernidad», sin darse cuenta de que los anquilosados eran precisamente aquellos que pretendían vivir anclados en una forma de ser y de pensar, que poco o nada tenía que ver con los tiempos actuales.

Los gustos ahora eran otros, las predilecciones de la juventud, algo muy distinto a lo de tiempos anteriores, e incluso su interpretación de muchas tendencias, así como la existencia de nuevas lecturas que alteraban el horizonte literario, llegaba incluso a distanciarles de los propios seguidores de *Contemporáneos*, etapa ya superada por la nueva generación ampliamente.

La vida iba muy deprisa ahora, y los años 30 habían traído soplos nuevos y cambiantes a muchas cosas y a muchas formas de ver la estética y los nuevos gustos. Los de la generación de *Contemporáneos,* por ejemplo, eran incapaces, no ya de compartir la inclinación de los jóvenes de ahora por las luchas revolucionarias de otras partes del mundo, sino que se habían mostrado —y de hecho seguían mostrándose— como totalmente ajenos a todo ello. No entendían ese interés suyo por los radicalismos lejanos y por las conmociones políticas de los demás, manteniendo la misma posición distante y fría al respecto que habían mantenido ellos siempre.

Octavio Paz y los suyos, en efecto, parecían demasiado impresionados por cosas que a la otra generación le parecía totalmente ajena, muy especialmente lo sucedido en la antigua Rusia, en ese momento la Unión Soviética, y el surgir el acontecimiento que para los jóvenes significaba lo más grande que hasta entonces había conocido el mundo actual: el comunismo, la revolución social de la URSS.

Impregnados de ese espíritu prosoviético, no resultaba extraño que su visión de la cultura actual girara casi siempre en torno a la visión bolchevique de los acontecimientos mundiales, a las doctrinas de Marx y de Lenin, a los hechos que tenían lugar en el Moscú que, para todo ellos, era el centro del universo.

El ejemplo de grandes comunistas mexicanos, como el propio Diego Rivera, Frida Kahlo, Orozco o Siqueiros, era el espejo donde se miraban ellos. El Partido Comunista era para ellos como un mito hecho realidad, y así no es de extrañar que la ideología de izquierdas hiciera de aquella joven generación una elite muy politizada, incluso en sus lecturas y sus propias creaciones literarias.

Empezaba a debatirse ya la famosa «educación socialista», que dividía en parte a la sociedad mexicana, hasta el punto de que la polémica invadió las aulas y todos los centros educativos del país, alcanzando incluso al ámbito universitario. En efecto, llegado el momento, fue el Consejo Universitario quien tuvo que discutir la cuestión, y muy apasionadamente por cierto, seguido todo ello por un ambiente encrespado y tenso por parte de los estudiantes, que se agolpaban por doquier, esperando los resultados de aquella disputa a nivel de Universidad.

Octavio Paz no podía faltar a semejante evento. Era uno de los muchos —muchísimos— alumnos que invadían patios, pasillos y escaleras del centro, a la expectativa. Era el año 1935, y de aquel evento universitario iba a surgir una nueva amistad en la vida de Octavio, nada menos que la de Jorge Cuesta, con quien se tropezó casualmente en medio de la humana marea estudiantil, en aquel ambiente cargado y lleno de tensiones, donde al parecer solamente ellos dos, en ese momento, parecían ser los únicos tranquilos y algo distantes de lo que se cocía en el Consejo.

Jorge Cuesta era un hombre de porte distinguido, elegantemente vestido, elevada estatura y esbelta figura rematada por su inteligente rostro de rubia cabellera, que le hacía parecer más un británico que un mexicano, de no haber sido por el color oscuro de su tez. Octavio recordaría luego, casi como si lo tuviera grabado, la breve y sorprendente conversación que, de modo espontáneo, nació entre ellos, al mirarse.

Y así lo describiría cuando hiciera recuento de todos los acontecimientos de su vida:

—¿Le interesa mucho lo que hoy ocurre aquí? —fue la pregunta previa de Cuesta, mirando a Octavio.

—No demasiado —confesó Octavio—. ¿Y a usted?

—Tampoco. Vamos, le invito a comer.

Así. Sin más. Todavía muchos años después, Octavio Paz se sorprendía y admiraba de tan breve diálogo como inicio de una amistad, la suya, la del jovencito Octavio, ¡nada menos que con una personalidad como la de Jorge Cuesta!

¿Qué había ocurrido para que ambos, espontáneamente, congeniaran de tal modo? Nunca se lo supo explicar, ni tal vez tenga una explicación. Fue así, y eso basta. Tal vez la intuición de Cuesta supo intuir algo en aquel muchacho de veinte a veintiún años, a quien ni siquiera conocía, que le diferenciaba de los demás. Tal vez fuera eso. Sin embargo, como fuera, Octavio nunca lo supo.

Pero sí sintió una serie de emociones nuevas durante aquel almuerzo fuera de San Ildefonso, en el restaurante adonde Cuesta llevó a su joven invitado. A fin de cuentas, era la primera ocasión en que Octavio entraba a comer en un local tan distinguido. Y acompañado nada menos que de Jorge Cuesta. Eso era como estar soñando. Aquel hombre era un erudito en todos los temas que más podían interesar al joven.

Por ello no es de extrañar que, durante la comida y la sobremesa, hablaran largo y tendido de literatura, de prosa y poesía, analizando diversos pormenores sobre la obra de personajes de la talla de Huxley, de Malraux, de Lawrence, de Gide. Cuesta, un ensayista de primera fila, era también un conversador ameno, refinado, dotado de una poderosa capacidad humana. Inteligente, agudo, dúctil, oírle hablar era como estar siguiendo su propio pensamiento, rápido y profundo, capaz de desmenuzar facetas y detalles de cada autor y de cada obra que se les escapaban a todos los demás.

Fue una experiencia única y casi mágica para el inquieto Octavio, cuya actitud de devoción casi embelesada debió divertir mucho a su interlocutor, pensaba luego él, recordando aquel encuentro en el restaurante, del que tanto provecho pudo sacar.

Pero realmente aquel encuentro fortuito no fue un hecho aislado ni una anécdota. Fue el principio de una verdadera y firme amistad, sostenida durante muchos años, que parece corroborar la teoría de que Jorge Cuesta vio en aquel joven a una persona diferente a muchas otras y capaz, no sólo de entenderle a él, sino de seguir sus razonamientos y disquisiciones, y emplear luego provechosamente la experiencia a lo largo de su vida.

Un día, Cuesta le narró de viva voz, como un relato, el contenido de una de sus obras más importantes andando el tiempo, como sería su ensayo «El clasicismo mexicano». A Octavio le maravilló, y sin embargo no llegó a captar en aquel relato todo el poder y grandeza de la obra. Más tarde, cuando Cuesta le envió un ejemplar de la publicación donde aparecía su ensayo, el hecho simple de leerlo le hizo sentir una impresión diferente a la que experimentara al oírlo en la voz de su autor.

Captó matices más profundos, raíces más hondas, una rara fuente de reflexiones y de duradera emoción. Tanto le afectó esa lectura, que cambió radicalmente su concepto sobre muchas cosas, y tuvo una posterior influencia, casi decisiva, en su propia obra, como él mismo reconocería.

Sus propias ideas sobre la literatura experimentaron un profundo cambio desde ese momento, que tal vez, de no llegar a escuchar primero y leer después aquella obra, nunca se hubiera producido en él, o al menos eso pensaba el propio Octavio, recordando el hecho muchos años más tarde.

Eran tiempos, como se ve, de constantes cambios y de nuevas sensaciones para Octavio Paz, como lo eran para los de su generación, todo ello a un ritmo que nada tenía que ver con el de pasadas generaciones, habituadas a una lentitud y a una indiferencia que a los jóvenes de ahora se les antojaban casi sacrílegas, por lo que de negativo habían tenido para el progreso cultural del país.

Aun así, todavía tenían que luchar con la incomprensión de sus mayores, que no veían bien aquellas inquietudes juveniles, especialmente por sus tintes políticos tan acentuados, siempre influenciados por los ecos del comunismo y la bolchevización de la antigua Rusia. Algunos pensaban que la literatura no tenía que estar necesariamente tan politizada, pero esa tesis era rechazada de plano por la juventud del momento, tan preocupada por las nuevas tendencias literarias como por las políticas que les llegaban de tan lejos, pero que iban predominando en todo el mundo en aquella década de los 30.

Por esa misma época se anunció la llegada a México de un poeta que traía consigo, algo así como de primera mano, todo el vanguardismo europeo. Se trataba de un poeta de Guatemala, Luis Cardoza y Aragón, en cuyos poemas parecía al fin conseguirse la unión definitiva de aquello que ni Octavio ni sus compañeros de inquietudes literarias habían sabido cómo ensamblar adecuadamente: era algo aparentemente irreconciliable, que parecía separado siempre, como el agua y el aceite, y que Cardoza había logrado aglutinar de forma portentosa.

Se trataba de congeniar visión y subversión, revelación y rebelión. Aunque tenía la misma o parecida edad que los de la generación «de los *Contemporáneos*», se diferenciaba bastante de ellos. Seguía algunas de sus pautas, eso sí, pero impregnándolas de una forma revolucionaria de ver las cosas que nada tenía que ver con aquella otra generación a la que por sus años pertenecía.

No era sino un casi aislado entre ellos, marginal para los más puristas, pero cuya fuerza contundente y su inclinación moral y política congeniaban perfectamente con los nuevos defensores de las ideas radicales. Para escándalo de muchos, la Iglesia incluida, Cardoza defendía la audaz teoría de que la poesía no podía ser solamente una actividad al servicio de la Revolución, sino que era la Revolución en sí misma, la expresión viva y palpitante del perpetuo deseo humano de sublevarse contra lo que le imponen.

Eran ideas demasiado duras para mentes conservadoras o timoratas, y sus conferencias en México levantaron ampollas, mientras Octavio y otros como él disfrutaban a fondo con sus charlas y sus afirmaciones casi agresivas.

Se puede decir que, pese a superar bastante la edad de la nueva generación, el poeta guatemalteco fue algo así como un puente entre los poetas de la generación de Octavio Paz y la vanguardia más radical. Por vez primera alguien sostenía en público que la actividad poética tenía mucho que ver con la revolucionaria, y eso rompía esquemas y provocaba escándalos por un lado, mientras despertaba entusiasmos y abría nuevos horizontes por el otro.

Por ese tiempo también se atrevieron los artistas y escritores mexicanos a fundar la llamada LEAR, o Liga de Escritores y Artistas Revolucionarios. En la sala en que solían llevarse a cabo las conferencias y reuniones de la Liga, también intervino en alguna ocasión Cardoza, levantando la natural polvareda con sus afirmaciones, y ganándose la admiración de los miembros y seguidores de aquella asociación literario-revolucionaria.

Entraba México en el año 1936, en el que tantas y tantas cosas iban a ocurrir, sobre todo lejos de tierras mexicanas, pero muy ligadas, sin embargo, a la vida de Octavio Paz.

Iba a conocer personalmente la soñada Revolución en lugares donde no se imaginaba. Iba a ser testigo directo de rebelión y de represalias, del enfrentamiento de ideologías, de los resultados directos y terribles de las tesis revolucionarias y antirrevolucionarias, cuando éstas llegaban a enfrentarse.

Todo eso iba a acontecer al otro lado del Atlántico, en la vieja Europa, pero concretamente en un trozo de tierra que le era particularmente afín, porque de ella procedía en parte su propio ser. Iba a ser en suelo español, al que los mexicanos llamaban Madre Patria, procurando olvidarse de Cortés y de sus gentes, para pensar sólo en lo positivo tal vez.

Allí iba a establecer el primer contacto con la violencia en toda su atroz dimensión. Iba a vivir de cerca la Revolución, pero de un modo distinto al que podía imaginar.

Pero eso, cuando entró 1936, pertenecía aún al futuro.

Antes, Octavio iba a vivir otro momento particularmente amargo en su vida: la muerte de su padre.

CAPÍTULO IV

OCTAVIO Paz Solórzano murió el 8 de marzo de 1936, en la estación de ferrocarril de Los Reyes-La Paz. Fue un duro golpe para el joven Octavio. Los recuerdos eran muchos, su afinidad con su padre era muy grande, desde los viejos tiempos del zapatismo activo, cuando su progenitor luchaba junto a Emiliano en las tierras del sur, creía en la Revolución y la defendía con todos sus recursos, dejando como herencia, en la sangre de su hijo, ese amor revolucionario que le acompañó de por vida.

Un poema de Octavio Paz recuerda esos tristes momentos, con su melancolía dolorida. Un fragmento de «A la mitad de esta frase», dice al respecto:

> *«Aparece*
> *la caja desencajada;*
> *entre tablones hendidos*
> *el sombrero gris perla,*
> *el par de zapatos,*
> *el traje negro de abogado.*
> *Huesos, trapos, botones:*
> *montón de polvo súbito*
> *a los pies de la luz.»*

Y termina, cruda, casi cruelmente, pero con intenso dolor:

«Lo que fue mi padre
cabe en ese saco de lona
que un obrero me tiende
mientras mi madre se persigna.»

Resulta obvio, a la vista de estos versos, descubrir el profundo, intenso daño que el fin de su padre ha causado en el joven Octavio. Fue como un mazazo que, de repente, le hizo pensar en abandonar muchas cosas, y de hecho así lo hizo.

Desde ese mismo punto, renunció de forma definitiva a convertirse en abogado, como lo fuera su padre. Él quería hacer otra cosa con su vida, ser él mismo, y ya no tenía objeto ser lo que su padre hubiera querido que fuera. Había que romper con todo. Y rompió.

Abandonó sus estudios universitarios e incluso la vieja casa familiar. Había terminado la educación en la Universidad, y sólo le faltaba presentar su tesis para ser abogado. No quiso hacerlo. Su negativa en ese sentido fue rotunda.

Él sólo quería ser una cosa: poeta. Y eso es lo que iba a ser. Poeta. Y revolucionario, por supuesto. Era su doble meta. Pensaba alcanzarla, a pesar de todo. Era su voluntad. Era también la primera vez que abandonaba tras de sí todo lo que había sido su vida adolescente y juvenil, su auténtica primera salida al mundo.

Empezaba la vida de un nuevo Octavio Paz, tal vez el verdadero Octavio Paz, el que él deseaba ser. Sus ideas políticas le creaban muchos enemigos, fuera del círculo de sus amistades más entrañables, y sabía bien que ése era otro de los grandes problemas que iba a tener que afrontar si quería triunfar en su empeño, pero no le arredraban las dificultades, y se dispuso a seguir adelante con todas sus consecuencias, sin renunciar para nada a sus principios.

Publicó un pequeño libro de poemas en los inicios de 1937, una obrita titulada *Raíz del hombre.* Jorge Cuesta se refirió a él en un artículo publicado en el primer número de la nueva revista literaria, *Letras de México.* Tampoco cuesta logró convencer a muchos con sus elogios a su obra, ya que Octavio era mirado con lupa por un gran sector de la opinión pública, que era reacia a aceptar, no ya sus poemas, sino sobre todo su ideario político, que no se recataba en proclamar cada vez que era necesario.

Pero Cuesta también pasaba de todo eso, y no dudable en prestar a Octavio todo el apoyo posible en aquellos difíciles inicios de carrera literaria. De ello puede dar fe un hecho que se produjo por entonces y que da una idea exacta de lo que Cuesta sentía hacia el joven poeta discutido por todos.

Le invitó a una comida, a la que, según dijo él, acudirían así mismo otros amigos de Octavio. Éste pasó a recoger a Cuesta por su oficina, y allí se encontró con Xavier Villaurrutia. Octavio se dispuso a ir con ambos a la comida, cuando le aclararon que *todos* los miembros del llamado «grupo de los *Contemporáneos*» iba a estar presente también en dicha comida. Eso aclaró las cosas al joven, que se dio cuenta de la curiosa encerrona en que le habían metido Cuesta y los demás.

Aquello no iba a ser un vulgar almuerzo entre amigos, sino una especie de auténtica «ceremonia de iniciación», una especie de examen de su persona y de su obra, en el que él iba a ser el examinado, con Jorge Cuesta y Xavier Urrutia como padrinos. No era difícil imaginar la clase de preguntas con que iban a bombardearle los presentes, sobre todo alusivas a su ideario político, a sus tendencias revolucionarias y sus simpatías marxistas, y lo que todo esto tuviera que ver, en el fondo, con sus preferencias poéticas.

Octavio se prestó de buen grado a aquella especie de juego, y plantó cara a sus «verdugos», contestando a cuantas preguntas se le hicieron, por espinosas que fueran, y defendiendo sus principios y sus postulados de la mejor manera que sabía hacerlo. No dudó en ser, sobre todo, sincero, terriblemente sincero, y no eludir tema alguno, por difícil que fuera explicarlo o justificarlo.

Nunca estuvo seguro de que su dialéctica fuera todo lo brillante que la ocasión requería, pero al menos de su franqueza no hubo duda alguna entre los comensales, cuyas «inquisidoras» interrogantes quedaron ampliamente contestadas, sin el menor tapujo. Prueba de ello, y de que había pasado la «prueba» con éxito, fue que aquello no iba a ser, ni muchos menos, la última que celebraran, y le invitaron a sus comidas habituales de cada mes, como un miembro más del selecto grupo literario que allí se reunía.

Octavio Paz se había anotado su primer triunfo personal, de eso no cabía duda alguna. Contaba con buenos amigos e inmejorables protectores y camaradas, pero los momentos que le tocó vivir por esa época no fueron nada fáciles, especialmente en lo económico, aparte sus problemas de índole personal a causa de sus convicciones.

En la capital de México empezaba a ahogarse un poco, agobiado por el ambiente, no siempre favorable a su persona, y sentía la necesidad imperiosa de cambiar de aires, de hacer algo distinto, lo que fuera, pero lejos de aquel clima enrarecido que le resultaba en ocasiones incluso algo hostil.

Eso fue como un momento de tránsito en su vida, y tuvo la gran fortuna de que muy en breve plazo le surgió la esperada ocasión de alejarse, siquiera por un tiempo, de la capital mexicana y buscar un remanso de tranquilidad lejos de allí, aunque fuera dentro de la propia geografía mexicana.

Ocurrió cuando el Gobierno decidió establecer en los estados una serie de escuelas de educación secundaria para los hijos de obreros y campesinos, en una loable decisión de gran alcance social, que se granjeó las simpatías inmediatas de Octavio. Por ello, y por huir momentáneamente de la ciudad de México como ansiaba hacer, al ofrecerle un puesto en una de esas escuelas durante 1937, se apresuró a responder afirmativamente, aceptando la plaza. Ésta se encontraba en la ciudad de Mérida, en Yucatán.

Era un punto lejano, bastante lejano de la capital, pero a fin de cuentas también era México, e incluso tenía cosas que otros puntos del país no podían ofrecer a su curiosidad y sensibilidad, como eran las huellas de la cultura maya y su influencia aún palpable en aquellas tierras.

De modo que se fue a Yucatán, esperanzado por conocer cosas de su amado México que no había tenido oportunidad de conocer y que, a no dudar, enriquecerían su mundo interior y le abrirían nuevos horizontes dentro de la gran variedad cultural de aquel hermoso país en que él había nacido.

No andaba descaminado Octavio, porque allí, en las áridas tierras del Yucatán, descubriría nuevas fuentes de inspiración, que le harían escribir poemas como el titulado *Entre las piedras y la flor*, en los que culpaba al capitalismo —el gran enemigo del pueblo, según su filosofía—, capaz de convertir la tierra en un desierto, tras absorber sus riquezas, del mismo modo que succionaba la sangre de los humanos, hasta reducirlo todo a su más desnuda expresión, la de piedra y huesos. Piedra la tierra, huesos el hombre.

Cuando Octavio escribió esos poemas estaba inspirándose, casi involuntariamente, de un modo subconsciente, en la obra de T. S. Eliot, pero dándole la impronta de su propio carácter, la savia renovadora de su inspiración personal, sin poder renunciar nunca a envolver todo ello en el manto de su ideario político y de sus preferencias socialistas.

Fue precisamente en ese año de 1937 cuando también su vida privada iba a experimentar un cambio radical, puesto que dejó de ser soltero pese a su extrema juventud —recordemos que entonces Octavio Paz solamente contaba veinticuatro años de edad—, y contrajo matrimonio con Elena Garro, poetisa también, y comprometida con la causa socialista también, por lo que sus ideas coincidían en muchas cosas, aparte la puramente afectiva como pareja.

Fue un matrimonio duradero, ya que eran muchas más las cosas que podían unirles que aquellas que fueran capaces de separarles, pese a que estaban a punto de sobrevenir momentos difíciles para todos, y ellos no iban a ser una excepción. En aquel mundo cambiante y complicado de la década de los 30, eran muchas las cosas que sucedían fuera de México, y recordemos que Octavio Paz nunca había sido, ni siquiera de adolescente, ajeno a las cosas que sucedían más allá de las fronteras de su propia patria. ¿Cómo iba él a ser extraño, por ejemplo, a todo aquello que llegaba a sus oídos desde la lejana —pero cercana en muchos aspectos— España, sumergida en una contienda civil tan sangrienta como terrible, desde que en julio de 1936 se produjera el llamado Alzamiento Nacional de las tropas del general Franco, de Sanjurjo, de Varela y otros militares, contra la República legalmente constituida?

Era algo que para él, como para los muchos simpatizantes de la causa izquierdista, no podía resultar en absoluto ajena. Eran cosas muy suyas las que estaban en juego en aquel trozo de tierra español de donde procedían sus abuelos maternos. Era el enfrentamiento de dos formas de política, pero también de entender la vida. Octavio se sentía más revolucionario que nunca, y en su fuero interno tal vez ansiaba formar parte de aquellas fuerzas revolucionarias que luchaban contra los militares sediciosos, como lo estaban haciendo muchos intelectuales españoles, apoyados por el Partido Comunista Internacional y por la propia Unión Soviética, a la que tanto admiraban.

Eran tiempos en que se oía hablar de las Brigadas Internacionales, como se podían escuchar ecos de la intervención alemana en la contienda española, a través de la aviación y de las fuerzas del Tercer Reich en lo que parecía una especie de ensayo general antes de que otras contiendas mucho más amplias convulsionaran el mundo entero no tardando mucho.

Y he aquí que los sueños de Octavio se iban a cumplir, al menos en parte, porque por entonces, precisamente, y durante un período de vacaciones escolares, durante el cual dejó de dar clases en Yucatán a los hijos de trabajadores y campesinos, le llegó la oportunidad que ni remotamente podía esperar.

Había ido a conocer Chichén-Itzán y aprovechar el tiempo terminando unos poemas inconclusos que tenía entre manos. Entonces, le llegó aquel telegrama.

Era un telegrama fechado en Mérida. Se le invitaba a tomar el primer avión que le fuera posible, rumbo a España, pues estaba invitado oficialmente a participar en el Congreso Internacional de Escritores Antifascistas, a celebrar en Valencia y alguna otra ciudad de la España que aún no había sido ocupada por las tropas sublevadas del general Francisco Franco.

El tiempo apremiaba, y si quería asistir a aquella inesperada invitación de sus colegas españoles, no podía perder ni un solo minuto. ¿Por qué la premura de aquel viaje, cuando se pudo haber hecho la invitación con el tiempo suficiente para prepararlo todo a conciencia?

La respuesta a esa pregunta no tardó Octavio Paz en tenerla en sus manos, cuando supo que aquella invitación databa de más de un mes, pero que el escritor cubano Juan Marinello, encargado de la LEAR en esas cuestiones, había tomado la errónea decisión de transmitir el mensaje por vía marítima, cosa que demoró en exceso la llegada de la invitación a su destinatario. Octavio nunca supo si esa decisión del cubano había sido casual o intencionada.

Lo peor es que, fuera la explicación real del incidente, ahora todo apremiaba en exceso, y era posible que ni cualquiea que siquiera pudiera llegar a tiempo de acudir a esa llamada de sus camaradas ideológicos españoles.

Otro ilustre invitado a aquellas conferencias había sido Carlos Pellicer, víctima igualmente de la arbitraria decisión de Marinello. Demasiado casual, pensó entonces Octavio. Ni él ni Pellicer pertenecían realmente a la LEAR, lo cual podía explicar muy bien la indolencia del cubano por la tramitación de ambas invitaciones.

La cosa, como luego sabría Octavio, ya en España, tenía su sentido para quienes hicieron las invitaciones, pero no para quien tan desastrosamente las había tramitado en México, lo que confirmó las sospechas previas de él y de Pellicer, en el sentido de que la propia LEAR, poco honestamente en este caso, había pretendido, simplemente, provocar trabas a su presencia en tierras españolas como representantes de la política literaria mexicana del momento. Marinello no se excusó personalmente por el error, sino que pareció avergonzado del mismo, y eso hizo pensar a Octavio que no era cosa personal del propio cubano, sino que hubo otros que movieron los hilos en la sombra, para hacer poco factible su presencia y la de Pellicer en la convocatoria española.

Eso pareció confirmarse cuando el propio Marinello, el cubano, formó parte de la expedición americana rumbo a España, como partícipe de la LEAR en los eventos que tuvieron lugar en su punto de destino.

Pero Octavio Paz empezaba a ver cosas que no le gustaban del todo, en el propio seno de sus compañeros de ideología. Si le disgustó o le desilusionó, no lo hizo patente, pero sin duda tomó nota de todo ello, cara al futuro, sin por eso renegar jamás de sus convicciones, que estaban muy por encima de personalismos, rencillas o envidias sin sentido.

TERCERA ÉPOCA
La Guerra Civil española

CAPÍTULO I

EL viaje a España no lo hizo solo. Le acompañaba Carlos Pellicer, así como José Mancisidor, también mexicano. Y completando el grupo, dos cubanos, el propio Marinello, autor del malentendido, y Nicolás Guillén.

Transcurrió la travesía sin incidentes hasta Europa, siguiendo después vía París, en cuya estación descendieron del tren, encontrándose en el andén con un comité de bienvenida muy especial, formado por numerosos —y para él casi legendarios— camaradas ideológicos y colegas literarios.

Para el joven Octavio Paz fue algo inolvidable oír la voz de aquel hombretón cordial y abierto, que le llamaba a voces, entre el gentío de la estación, pronunciando en voz muy alta su nombre, como una clamorosa bienvenida:

—¡Eh, tú, Octavio Paz, Octavio Paz!

Y luego, al acercase, al darle su primer abrazo, aquella exclamación salida del alma, entre sorprendida y admirada:

—¡Pero Octavio, muchacho, qué joven eres!

Se trataba nada menos que de Neruda. El gran Pablo Neruda, uno de sus grandes ídolos de siempre, un ser venerado como pocos. Neruda, quien le miraba asombrado por su juventud, estrechándole con fuerza, como a un viejo camarada. Luego aparecerían otros rostros, rostros que acabaron siendo familiares y amigos, pero que en el primer momento, para Octavio, eran como iconos surgiendo de otra dimensión, como dioses del Olimpo hechos carne mortal: André Malraux, Ilya Ehrenburg, Stephen Spender...

Juntos todos ellos en París, hechos un equipo, amigos y camaradas, aliados por aquella complicidad hermosa de la literatura, de los sueños de libertad, de las ideas comunes. Y desde allí, también en tren, hacia Barcelona.

Ya estaba en España. En la España republicana, en la que los *otros,* los «nacionales» según un bando, los «fachas» según el otro, llamaban España Roja. La de las Brigadas Internacionales, los milicianos y milicianas, las banderas tricolor, los cánticos de guerra y de victoria puño en alto, lo que siempre había soñado con ver alguna vez plasmado en una imagen real la mente de Octavio Paz.

Por entonces, uno de los grandes santones de la Revolución, André Gide, había vuelto de un largo viaje por la Unión Soviética, y su obra, reflejando ese viaje, levantó ampollas y creó tal descontento que pasó de ser un ídolo de los socialistas de todo el mundo a ser un personaje repudiado y acusado de impresentable tránsfruga.

Octavio, por entonces, no podía entender bien que Gide, en su visita a la URSS, no hubiera encontrado el ideal soñado, y ello lo reflejaba crudamente en su discutido y anatemizado *Regreso de la URSS,* donde desmontaba muchos de los sueños y utopías que los jóvenes se habían creado respecto a la vida en la Unión Soviética y las excelencias del marxismo, al menos como lo entendía Josef Stalin.

Octavio Paz, al menos, tuvo el buen criterio de no unirse a las condenas hacia la persona de Gide, remando en este caso un poco contra corriente, porque la inmensa mayoría de los simpatizantes del comunismo y del proletariado coreaban los gritos de protesta contra el autor de la obra. Interiormente, se dijo que algo no funcionaba como debía, probablemente, dentro de la URSS, y Gide se había limitado a reflejarlo, sin dejarse engañar por las apariencias.

Era como un principio de duda sobre muchos de los postulados que él había considerado inamovibles, y pronto se dio cuenta de que, aunque en minoría, no estaba solo en esa postura crítica. Personalidades españolas, muchas de ellas colaboradoras de la prestigiosa revista *Hora de España,* le mostraron su adhesión, confirmándole que pensaban más o menos como él en cuanto a las dudas que empezaba a suscitar el rumbo que el marxismo tomaba dentro de la Unión Soviética, y que no parecía responder a las esperanzas puestas en él.

Literatos como Ramón Gaya, Arturo Serrano Plaja, María Zambrano o Antonio Sánchez Barbudo, no solamente le prestaron su apoyo, sino que se hicieron amigos suyos incondicionales. El Congreso de Valencia fue así, en cierto modo, como el punto de partida para una nueva etapa, una campaña entusiasta y decidida en defensa de la libre imaginación y contra toda censura o freno, viniera de la derecha o de la propia izquierda.

Era un modo de empezar a cuestionar las virtudes marxistas, y como aquel grupo tenía muchos puntos en común, no resultó nada extraño que llegara a formar un núcleo compacto con grandes afinidades literarias y un sentimiento general de libertad frente a todo totalitarismo o interferencia del color que fuera.

Era una posición peculiar e insospechada frente al otrora admirado, loado y venerado comunismo, como panacea de todas las represiones y falta de libertades en el mundo. Formaban un grupo audaz que veían, en las cada vez más crecientes injerencias del Partido Comunista en sus actividades, otra forma de coacción y de encorsetamiento, que no iba en absoluto con un concepto de la libertad humana.

Eso era bien cierto. Incluso las directrices de la propia revista se veían en muchas ocasiones —demasiadas, a juicio de Octavio— sujetas a normas emanadas del Partido, excesivamente intervencionista en la marcha de la publicación.

Todo esto llegó al colmo cuando se enteraron de que personas tan fuera de toda sospecha como León Felipe o Luis Cernuda habían llegado a ser interrogados por comisarios políticos comunistas, bajo pretextos inconsistentes que no se tenían prácticamente en pie.

¿Qué estaba sucediendo?, se preguntó Octavio Paz, desilusionado ante aquella nueva faz, hosca y dura, de lo que para él fuera, en el México de su juventud, sueño ideal de revolucionario y esperanza suprema de la libertad de los hombres.

Algo no funcionaba en la URSS. Y si algo no funcionaba allí, que era el soñado paraíso de todo buen marxista y de todo revolucionario convencido, ¿qué era lo que realmente ocurría?

Sabía que Trotski había pedido asilo en México, perseguido por el largo brazo de Stalin, su enemigo mortal. Otra muestra más de que las cosas no iban como debían ir. Él, que no se sentía estalinista ni trostskista, sino un simple amante de la libertad del hombre, de la verdadera revolución ideológica y literaria, empezaba a sentir demasiadas dudas sobre todo.

Menos mal que estaban allí, para apartarle de esas sombrías ideas, personas como el propio Luis Cernuda, de quien se hiciera muy amigo a partir del verano de 1937, en la ciudad de Valencia. También era amigo de Gil-Albert, a la sazón secretario de la revista *Hora de España,* puesta últimamente bajo el punto de mira ominoso de los nada claros comisarios marxistas. Allí, precisamente, conoció a Luis Cernuda, que trabajaba como colaborador y se dedicaba a corregir los trabajos a publicar.

Hechas las presentaciones por Gil-Albert, Octavio se sintió sorprendido —muy gratamente sorprendido, por cierto—, cuando Cernuda alzó los ojos hacia él, le miró abiertamente y le confesó con la mayor sencillez del mundo:

—Precisamente acabo de leer su poema, y le confieso que me ha encantado.

Estaba refiriéndose al que compusiera Octavio con el nombre de «Elegía a un joven muerto en el frente de Aragón», uno de cuyos fragmentos ilustra precisamente esta etapa de la vida de Octavio Paz.

* * *

España entera ardía por entonces en llamas bélicas. La lucha fratricida ensangrentaba la tierra española por doquier. Si una guerra es siempre odiosa, ¿qué decir cuando esa guerra es entre hermanos, entre personas de una misma nacionalidad?

Octavio recordaba en ese sentido las viejas narraciones revolucionarias de su difunto padre. Entonces, ellos también vivían algo parecido. Mexicanos contra mexicanos. Ahora, aquí, se trataba de

Entrevista por la concesión del premio Nobel, 20 de octubre de 1990.

Paz con Jorge Luis Borges y Marie-Jo, 1984.

Paz con Julio Cortazar y Albeto Gironella, 1977.

Con miembros de la revista *Plural:* Tomás Segovia, Marie-Jo, Alejandro Rossi, José de la Colina (de espaldas) y Salvador Elizondo. Sentados: Octavio Paz, Juan García Ponce, Michele Alban y Kasuya Sakai, 1876.

Paz con Jorge Luis Borges y Salvador Elizondo.

españoles contra españoles. Era todo tan igual, tan terriblemente parecido, tan dolorosa y tristemente similar...

Octavio no podía saber cómo transcurrían las cosas en el «otro bando», pero, según sus informaciones, allí los militares españoles sublevados no permitían que sus aliados nacionalsocialistas alemanes, o los fascistas de Mussolini, controlaran sus actos y llevaran iniciativa alguna de tipo político. En cambio, sus experiencias en el bando republicano le mostraban una peligrosa debilidad de sus mandos a dejarse dominar por los extranjeros —sobre todo los soviéticos—, que imponían una política de férreo control sobre toda actividad, y eso no le pareció bueno para la causa de la libertad española republicana. Aquellos comisarios enviados por Moscú empezaban a resultarle un tanto siniestros a Octavio, sobre todo por su injerencia incluso sobre personas de izquierdas al margen de toda sospecha.

Su amistad con Luis Cernuda —uno de los «vigilados» por los emisarios de Stalin— fue en aumento desde aquel primer contacto, y a su admiración por el poeta siguió de inmediato un afecto sincero por el hombre, por el ser humano, que era tan admirable como podía serlo el escritor.

Era una persona de clara inteligencia, de abierta mentalidad andaluza, de una rebeldía innata contra toda injusticia, y poesía un corrosivo sentido del humor. Le confesó, en voz baja, que él también empezaba a estar harto de la fiscalización de que eran objeto los republicanos españoles por parte de los dirigentes del Partido Comunista, en especial los venidos de la URSS, o los que se movían en la órbita del estalinismo, y no veía con buenos ojos aquellas influencias extrañas a la política española, que tanto daño podían causar a ésta.

Lo cierto era que empezaba a haber inquietantes divisiones dentro del seno republicano, como advertía Octavio Paz claramente, y eso no era bueno para luchar contra una fuerza ordenada y potente como la desplegada por el general Franco y sus leales.

Pero Octavio tenía otras sensaciones, aparte de las puramente políticas, de su contacto con los intelectuales españoles y de sus coincidencias literarias e ideológicas sobre la España republicana. Aun en tan desgarradoras circunstancias como eran las de una tremenda guerra civil, le había embargado la emoción al conocer de cerca a los componentes del pueblo español, a la España de la que él mismo llevaba una parte en su sangre, y de la que tanto había oído hablar a sus abuelos o había leído en los libros de la infancia.

Al fin conocía España, aquella España soñada, aun en circunstancias nada alentadoras. No solamente trataba a los escritores y poetas por razones obvias, sino que procuraba establecer contacto personal con todas las clases sociales que le era posible: maestros, obreros, campesinos, funcionarios, soldados u oficiales... Quería conocer España, saber cómo era su gente, a la que descubría como generosa, desinteresada, alegre e incluso optimista, aun dentro de tanto dolor y tanta incertidumbre.

Todas aquellas experiencias enriquecían su vida y su alma, le enseñaban a conocer la fraternidad entre los pueblos, los lazos afectivos que, en el fondo, unían a mexicanos y españoles, y que iban mucho más allá de la simple amistad o de la simpatía mutua. ¡Tenían tanto en común unos y otros, pensaba Octavio, con auténtica emoción por el trato recibido, por la forma en que se le acogía en casas y en barrios, como uno más de aquel pueblo maravilloso, sacudido ahora por el fantasma terrible de la guerra!

Eran momentos difíciles para *su* bando, porque la aviación enemiga, mucho más poderosa que la republicana, según podía observar, posiblemente por la ayuda de la Luftwaffe alemana de Hitler, no cesaba de lanzar ataques aéreos sobre la región valenciana y arrojar sus bombas sobre pueblos y ciudades, cuando no en los propios campos y caminos.

Esos bombardeos se producían día y noche, intentando frenarlos como podían las baterías antiaéreas republicanas, y durante uno de ellos fue sorprendido Octavio en el campo, en compañía de dos de sus amigos españoles, Serrano Plaja y Manuel Altolaguirre, junto a una aldea muy próxima a Valencia capital.

Huyendo de las bombas, que caían sobre la carretera y sus aledaños, Octavio Paz y sus compañeros buscaron refugio en las casas de campo de la zona, donde un campesino valenciano se apresuró a darles cobijo inmediato.

Aquel buen hombre, al reparar en el acento peculiar con que Octavio hablaba el español, preguntó de dónde era. En cuanto supo que venía de México, hizo algo que a Octavio jamás se le olvidó mientras viviera, y que le dio un claro ejemplo de lo que era la hospitalidad española para quienes, como él, venían de tierras hermanas de allende el océano.

Pese a que las bombas caían en abundancia en la comarca en ese momento, el campesino salió a su huerto, sin importarle el peligro, tomó un melón y regresó al interior, ofreciendo a sus huéspedes aquel delicioso fruto, bien acompañado por pan y una jarra de buen vino, que compartió con ellos amigablemente, como si se conocieran de toda la vida.

Eran cosas como ésa las que emocionaban a Octavio en la España que acababa de conocer y que ahora luchaba por sus libertades, en aquel año 1937 que no era sino el principio de una larga y cruenta guerra que no iba a terminar hasta 1939 —aunque eso ellos no lo supieran entonces—, y en la que españoles se enfrentaban a otros españoles, como en una maldita repetición de los hechos que ya conociera él de niño en su México natal, durante los años de la Revolución. Las cosas no se diferenciaban demasiado, salvo que ahora todo le parecía mucho más cercano, sentía que vivía dentro mismo del ojo del huracán y que la contienda le rodeaba por todas partes.

Ya no era algo lejano, que oía contar a sus familiares o que escuchaba en boca de los demás. Esto no era como los movimientos guerrilleros de Morelos, encabezados por Emiliano Zapata, o las campañas del norte, acaudilladas por Pancho Villa, lejos siempre de la capital mexicana, salvo contadas excepciones.

Esto era algo que estaba allí, allí mismo, como en todos los lugares del país, asolando la noble tierra española que él acababa de conocer y que pisaba por primera vez.

Tras su estancia en Valencia, entregado a las actividades políticas que allí le llevaron, y que no le hicieron olvidar en ningún momento sus inclinaciones poéticas, Octavio se trasladó a Madrid, donde la presencia de la guerra era aún más tangible. Los edificios y monumentos cubiertos de sacos terreros para protegerlos de las bombas y de la metralla, los soldados y milicianos por doquier, el estricto racionamiento de la población civil sitiada por las tropas rebeldes de Franco, que al parecer rodeaban toda la capital española; las actividades, aún más intensas y preocupantes, de los dichosos «comisarios políticos» del Partido Comunista, revoloteando como grajos de mal augurio sobre sus propios compañeros de ideología, en una enfermiza obsesión por buscar traidores o enemigos del pueblo...

Era un Madrid que procuraba mantener el ánimo, en cuyas calles se escuchaba siempre aquel triunfal y optimista «¡No pasarán!», título del que él ya se había apoderado en 1936, apenas estallada la Guerra Civil española, en uno de sus poemas, publicado en México.

En España escribiría, durante aquella estancia suya, muchos otros poemas desgarradores, que tenían por motivo principal la situación que estaba viviendo el país, y así como escribiera su tan elogiada «Elegía a un joven muerto en el frente de Aragón», también su inspiración poética dio a luz obras como *Raíz del hombre* o *Bajo tu clara sombra y otros poemas sobre España,* ambas en 1937.

En *Hora de España,* precisamente, publicó varios de sus poemas, aquella revista donde Luis Cernuda ejercía de corrector, así como de colaborador asiduo junto a otros grandes de la poesía española de la zona republicana. En todas aquellas obras poéticas exaltaban sus autores las ansias de libertad y de idealismo que les había llevado a alinearse con los partidarios de la República, esperando tiempos mejores para su España partida en dos.

Mientras se hallaba Octavio Paz en Madrid, tuvo ocasión de visitar con unos cuantos amigos la zona de la Ciudad Universitaria, que en aquellos agitados momentos formaba parte del frente de Madrid. Guiados por un oficial del ejército español republicano, llegaron hasta un punto en concreto, un recinto de gran amplitud totalmente protegido por montones de sacos de arena, y una vez allí, para sorpresa de Octavio, el militar les pidió que guardaran silencio.

—¿Por qué motivo? —preguntó Octavio, perplejo, no viendo nada ni a nadie en torno suyo que justificara tan insólita petición.

La respuesta del oficial, en voz muy baja, fue inmediata:

—Escuchad bien, por favor. Y en silencio.

Escucharon, por supuesto. A los oídos de Octavio llegó entonces un vago rumor de voces y risas, justamente al otro lado de aquel muro ante el que se apilaban los sacos terreros.

Obedeciendo las órdenes del oficial, preguntó a éste, siempre en voz muy baja:

—¿Quiénes son esos a quienes oímos?

La respuesta del militar fue de nuevo breve y precisa:

—Son ellos... los *otros.*

Sólo eso: *Los otros.* Unas palabras breves que lo decían todo, sin decir nada. No hacía falta preguntar quiénes eran esos «otros». Eran ellos, el enemigo, los franquistas. Allí mismo, a su lado, separados apenas por un muro y unos sacos.

Octavio se sintió sacudido por una nueva emoción, conmovido hasta sus raíces. Era tan sencillo, y a la vez tan terrible...

Allí, tan próximos que se les podía oír, estaban los enemigos de la República. *Sus* enemigos. Eran hombres como ellos, como él mismo. Españoles que hablaban y reían como podían hacerlo ellos mismos. Era un sentido de asombro, pero también de profundo dolor humano.

¿Era lógico todo aquello? ¿Era lógica la guerra? ¿Por qué se tenían que matar unos hombres con otros? Juntos, sin guerra, tal vez hubiesen reído juntos, se hubieran tomado un trago de vino o se hubieran contado un chiste. Quizá, incluso, hubieran sido amigos. Y sin embargo, eran adversarios que se iban a matar, tal vez aquel mismo día, tal vez al siguiente.

Octavio calló. No podía hablar de esto a nadie. Hubieran considerado que era como una traición imperdonable, que estaba tratando al enemigo como si fuera un amigo. Él no era ningún traidor. Él sentía lo mismo que sentían sus compañeros, era un luchador por las libertades, por el libre albedrío del hombre. Pero sus dudas no las hubieran entendido los demás. Ni él mismo estaba seguro de entenderlas, pero por primera vez se estaban preguntando el porqué de matarse cuando un hombre piensa distinto a los otros. Todos deberían ser libres de pensar lo que quisieran, sin por ello tener que empuñar un arma para defender sus ideas, para matar o para morir por ellas.

Sin embargo, él mismo había intentado embarcarse en esa aventura que ahora su conciencia le mostraba como un conflicto absurdo e incluso falto de humanidad. Se había ofrecido como voluntario, para enrolarse en el Ejército Republicano e ir a luchar al frente.

Sin embargo, la respuesta fue negativa. Era un hombre joven, escritor brillante, gran poeta. Podía ser mucho más útil a la causa con la pluma en la mano que empuñando un fusil.

Es más, le aconsejaron que lo mejor que podía hacer era no quedarse allí, en España, sino volver a su país, a México, y luchar desde allí por la causa republicana española. Se sintió algo defraudado por la negativa a participar en la contienda bélica de España, pero, pensándolo mejor, se dio cuenta de que, en efecto, era mejor seguir aquel consejo, volver a sus letras, para ser un ardiente defensor de sus ideas, de las ideas de sus amigos y camaradas españoles, aun en la distancia.

Y entonces resolvió volver a México.

CAPÍTULO II

NO era para Octavio una tarea fácil pensar en el regreso y dejar allí a todos sus nuevos amigos españoles, a sus compañeros de letras, a personas con las que tan entrañablemente había llegado a intimar en tan poco tiempo y con las que se sentía tan afín.

No podía olvidar a Luis Cernuda, como tampoco que antes de llegar él a España, apenas iniciada la contienda civil, otro de sus grandes y admirados poetas, Federico García Lorca, había muerto violentamente a manos de los sediciosos: según unos asesinado por los falangistas y según otros fusilado por la Guardia Civil. Tampoco olvidaba él esa dolorosa muerte de tan ilustre colega, y ello le hacía pensar, precisamente, en lo que le aconsejaban los dirigentes republicanos en Madrid: podía ser mucho más eficaz a la causa de la República y de la libertad en México, con su pluma, que en el frente español, con un arma de fuego en las manos.

Era demasiado fácil morir en España, morir en Madrid o en cualquier otro frente. Y él, Octavio Paz, muerto les servía de poco; ya sólo sería eso, un soldado más muerto en el frente. Su poesía podía ser mucho más duradera y más firme que cualquier uniforme o fusil, entre tantos otros.

Así, Octavio se despidió de sus amigos españoles y de aquella tierra que había aprendido a amar en tan corto espacio de tiempo, y emprendió el camino de regreso a la patria, dejando atrás una

España rota y ensangrentada, que ya no iba a volver a pisar durante el resto de la contienda, cuando ya las ilusiones e ideales republicanos eran puro recuerdo utópico, y las tropas de Franco habían vencido convirtiendo España en una dictadura. Él vivió esos duros momentos allá en la distancia, pero con el corazón roto por el curso de los acontecimientos, por la caída final del frente de Madrid, por aquel mes de abril de 1939, en que, «cautivo y desarmado el ejército rojo», como decía el parte de guerra oficial de los vencedores, «la guerra ha terminado».

Para España era tal vez lo mejor que podía suceder, porque ese desenlace se veía venir desde hacía tiempo. Ambos bandos habían rivalizado en valor y coraje, pero mientras uno se desintegraba paulatinamente por la formación de diversas facciones ideológicas y por el negativo papel de los comisarios internacionales soviéticos, entre otras muchas razones, los otros se fortalecían, unificados por un mando militar estricto y disciplinado, que forzosamente había de darles ya la victoria ante un enemigo roto y desorganizado, aunque valeroso y heroico hasta el último momento.

Aquella guerra de españoles contra españoles iba a servir de mucha inspiración a Octavio durante los años que duró, e incluso después. A su regreso a México en 1937 había fundado un periódico llamado *El Popular,* desde cuyas páginas defendía ardorosamente a la izquierda mexicana y tenía siempre un recuerdo emocionado para la izquierda española que luchaba lejos de allí.

Muchos actos de propaganda se celebraron en México en favor de la República Española, y la mayor parte de ellos o fueron obra directa de Octavio Paz o contaron con su entusiasta colaboración, pero nada de eso iba a cambiar el rumbo de las cosas, y Octavio se iba dando cada vez más cuenta de ello.

Pero en México también existían los problemas, aunque no como los de España, naturalmente. Aquí, el problema era, sobre todo, la presencia de un asilado político muy especial: Trostki, el dirigente soviético enfrentado a Stalin, había solicitado en 1936 el derecho de asilo político al presidente Cárdenas, quien se lo concedería.

El ideólogo del comunismo, convertido en un paria de su país y de su propio partido, perseguido por la GPU soviética, fue acogido como huésped por el muralista mexicano Diego Rivera, pero al paso de los años las cosas empezaban a complicarse, y mucho, para la presencia de Trotski en México.

El Partido Comunista mexicano no veía con buenos ojos la presencia de tan ilustre disidente en suelo patrio, y desde Moscú llegaban mensajes amenazadores contra la vida del exiliado. El enfrentamiento de los ideólogos del marxismo con la férrea dictadura impuesta por Stalin en la Unión Soviética empezaba a notarse, y Octavio, que había conocido bien el papel de los comisarios soviéticos en Madrid o en Valencia durante su estancia en la España en guerra, desconfiaba, y mucho, de la manera de entender las libertades del ahora máximo mandatario de la URSS.

Se decía también que Trotski, traicionando la hospitalidad de su anfitrión, Diego Rivera, en su Casa Azul de Coyoacán, se entendía con la esposa de él, la pintora Frida Kahlo, pero conociendo a ambos, a Rivera y a Frida, no era de extrañar la infidelidad amorosa de ella, mujer de la que uno no sabía si era en realidad una ninfómana o una andrógina de tendencias lesbianas.

Pero todo eso a Octavio Paz le tenía sin cuidado. Lo que le preocupaba realmente era el presente y el futuro del tan alabado y esperanzador movimiento revolucionario ruso, extendido ideológicamente a todo el mundo de izquierdas.

Pese a ello, intentó ser fiel a aquel marxismo que fuera ideario suyo durante los primeros años de la Revolución marxista, y escribió algunos artículos, tanto en el nuevo periódico *El Popular* como en una revista de violenta filiación procomunista, como era la llamada *Futuro,* en la que le pidieron frecuentes colaboraciones.

El director de *Futuro* era Vicente Lombardo Toledano, hombre acérrimo de la izquierda mexicana y admirador incondicional del bolchevismo, especialmente empeñado en aquella dura campaña contra Trotski y su presencia en México.

Fue precisamente el propio Lombardo quien en determinada ocasión llamó a su despacho a Octavio Paz y a José Revueltas, para solicitarles un editorial sobre el tema, afirmando que Trotski era un traidor a la causa revolucionaria, y que incluso colaboraban él y sus gentes con el Partido Nazi de la Alemania de Hitler, hecho que constituía, según el director de la revista, una descomunal traición a todos los principios de la izquierda mundial.

Octavio Paz escuchó aquellas palabras y no pudo ocultar su indignación, porque Trotski podía ser muchas cosas menos un traidor a la causa del marxismo, y si estaba allí ahora era por sus graves disidencias con el modo de entender Stalin la política comunista en la Unión Soviética.

No sólo se negó a escribir semejante libelo, sino que decidió dejar de colaborar en *Futuro,* pese a que el dinero que pudiera cobrar por sus trabajos le venía muy bien en aquellos momentos, en que era difícil ganarse bien la vida en México, como en cualquier otra parte, sólo a base de la pluma.

Precisamente esas dificultades para sobrevivir dignamente le llevaron a aceptar trabajos nada compatibles con su tarea literaria, como fue, por ejemplo, el de aceptar un empleo en el Banco Nacional, para una tarea tan rutinaria y exasperante como contar fajos de viejos billetes destinados a la quema. Contemplando aquellos montones de papeles impresos, que eran el papel-moneda que tanto le costaba a él y a otros ganar, se preguntaba por qué la vida tenía esas paradojas tan absurdas.

Él pasando penurias, dificultades económicas, mientras miles y miles de aquellos billetes iban a parar al horno para convertirse en cenizas... y todos esos billetes pasando por sus manos, como algo inútil y sin valor. Para su imaginación de poeta, la cosa tenía difícil explicación, pero así eran las cosas.

También colaboró a finales de los años 30 en *El Popular,* un periódico bastante emblemático de la izquierda mexicana, pero también esta vez le esperaba una decepción bastante profunda que, si no acababa de molestar o de indignar a algunos de sus compañeros de ideología, a él le resultó particularmente repugnante y prueba de que la política en ocasiones no tenía sentido ni tan siquiera un mínimo de moral.

Fue de resultas de la firma del pacto germano-soviético, durante el cual Stalin y Adolf Hitler parecían como hermanos, cuando tantas cosas les separaban. Ese hecho le indignó tanto, que al ver cómo lo defendían sus compañeros de redacción, en aras de una mayor expansión y solidez de las ideas marxistas, optó por abandonar también aquel periódico, hastiado en el fondo de tanta mentira y tanto absurdo. Él, que era un hombre de izquierdas, fiel a sus principios, no podía entender que las cosas se falsearan de tal modo, desvirtuando la auténtica esencia ideológica que debía presidir a la izquierda, fuera en México o en otra parte.

Para entonces la Guerra Civil española daba sus últimos estertores, y las noticias que llegaban de España no podían ser más desalentadoras para Octavio, que pensaba frecuentemente en los buenos amigos y camaradas dejados allá. Los frentes republicanos se derrumbaban sucesivamente, tras duros enfrentamientos y heroicos actos de valor, y las tropas de Franco iban ganando terreno implacablemente, siendo ya cuestión de meses la caída de lugares estratégicamente decisivos, como Barcelona o Madrid.

Fue precisamente por esa época en que tan malas noticias llegaban de España, cuando Rafael Solana invitó a comer a Quintero Álvarez, a Efraín Huerta y al propio Octavio Paz. Se terminaba 1938, y les informó durante esa comida que había tomado la decisión de transformar su revista *Taller Poético* en una publicación literaria de mayor amplitud.

Necesitaba, por tanto, colaboradores de su talla, dispuestos a fajarse con la tarea y suministrarle trabajos con que llenar dignamente sus páginas, en un afán de ganarse a un público incondicional y prestigiar lo más posible la revista.

Todos ellos aceptaron con entusiasmo la idea, formando de ese modo lo que ellos llamaban un reducido pero entusiasta grupo de «responsables», capaces de llevar adelante el empeño.

La publicación del primer número fue todo un éxito, y eso les animó a todos considerablemente. Rafael Solana emprendió entonces un viaje a Europa, dejando encargados de su revista a los tres amigos y compañeros, en mayor medida Octavio y Quintero Álvarez, aunque contando muchas veces con la ayuda y colaboración de Huerta. Ellos fueron los que llevaron adelante la tarea de editar los tres números siguientes, hasta que Solana regresó de su viaje y reanudaron la tarea con renovados ímpetus.

Por entonces, desgraciadamente, se produjeron algunas deserciones importantes en las filas de los grandes poetas y escritores de la generación de Octavio. Pero no fueron «deserciones» en el exacto sentido que a la palabra se suele dar, sino dolorosas y definitivas ausencias provocadas por factores tan negativos como el alcoholismo, plaga lamentable entre los literatos, y que dejó incapaces a tantos de ellos, cuando no la propia muerte demasiado temprana de hombres como el propio Quintero Álvarez o Rafael Toscano. Por no hablar de quienes por una u otra razón pusieron fin a su vida por diferentes motivaciones.

Así, al suicidio de Vega Albela seguiría poco después el de otro gran escritor, José Ferrel, que había traducido al español la obra de Lautréamont o de Rimbaud. Eran pérdidas realmente irreparables, que iban dejando huecos difíciles de llenar en las no demasiado apretadas filas de literatos de la época.

Aun así y todo, los que sobrevivían a esos trágicos acontecimientos seguían adelante, siempre en la brecha, tratando sobre todo de ser fieles a sí mismos y de no dejarse engañar por la excesiva politización de la literatura, que si en su juventud había tenido justificación precisamente por sus ardores juveniles y su innata rebeldía, ahora se les mostraba como un lastre que se hacía notar en muchas obras de sus contemporáneos.

Ellos intentaban, por su parte, mantenerse por tanto ajenos a la que se diera en llamar «modernidad» de los *Contemporáneos,* como a los poetas españoles de la «generación del 27». No querían quedarse encuadrados en el llamado «realismo social» o «realismo socialista», que ya apuntaba fuerte en ese momento, y que luego vendría a llamarse «poesía comprometida».

Huerta sí era partidario de esas tendencias, pero todos los demás colaboradores de *Taller,* con Octavio a la cabeza, disentían de tales inclinaciones y no dejaban de sentir cierto recelo hacia la tan cacareada poesía social que tantos y tantos abrazaban como una auténtica panacea donde no se sabía en qué punto empezaba la verdadera poesía y dónde se iniciaba la pura tendencia política.

No es que sus afanes estuvieran aún demasiado claros, por lo que era fácil caer en la confusión de ideas, pero si algo tenían claro todos ellos era que, todo aquello del lenguaje surrealista y todas sus teorías, no les interesaba lo más mínimo, y centraban su labor poética sobre pilares que sí consideraban inamovibles y que constituían por sí solos valores eternos e inmutables, verdadero soporte de todos los sentimientos humanos capaces de ser expresados en un poema: el amor, la imaginación, la libertad.

Octavio Paz seguía fiel a algo que, en el fondo, nunca le había abandonado en su obra y que, aunque en su época juvenil se pudiera confundir con una idea política, no lo era en realidad. Ese algo era, precisamente, la libertad. La libertad, como principio y final de todo, como el don más preciado del hombre, digno de ser exaltado en toda obra poética.

No había logrado encontrar esa libertad, en su estado puro, ni en su breve estancia en la España en guerra, ni en los acontecimientos que sacudían la Unión Soviética, el país en quien todos los jóvenes del mundo habían puesto sus esperanzas de libertad desde la Revolución de Octubre, para sentir ahora el desánimo ante su política absolutista, despótica y dictatorial.

En escritores como André Breton, que entusiasmaba a Octavio de un modo muy especial, tanto en su faceta de poeta como en la de escritor de prosa, halló Octavio aquello que buscaba, aquello en lo que él creía. En su obra pudo hallar la exaltación de la propia poesía, de la rebelión, del amor libre, sin necesidad de recurrir a soflamas políticos ni a ideologías de ningún signo. Una de las obras de Breton, *El amor loco,* le dejó tal impresión, que hubo de leerlo varias veces, fascinado por la filosofía del autor, por su concepto de las cosas, que en tantos puntos coincidía con él, con su modo peculiar de ver la auténtica dimensión de la poesía como vehículo de toda expresión humana de libertad.

Aunque ahora estaba ya lejos de ellos, al menos en lo físico, admiraba más que nunca la emoción de la obra poética de muchos de aquellos españoles, alguno de ellos desgraciadamente perdido para siempre en plena juventud. Ellos sí habían sido tocados por el surrealismo, pero de un modo especial, distinto al de tantos y tantos otros papanatas que se limitaban a seguir las modas, sin decir nada en realidad.

Nombres para él gloriosos, como su gran amigo Luis Cernuda, como Alberti, como el desaparecido García Lorca, como Vicente

Aleixandre, eran los que de verdad influían en su obra y en la de sus compañeros de generación, en mucha mayor medida que pudieron haberlo hecho los llamados «Contemporáneos».

De todos modos, muchos de esos «Contemporáneos» colaboraron así mismo en *Taller*, junto a Octavio y los demás, pero, pese a ello, la revista poseía sus propias características, su estilo propio, absolutamente inconfundible, como una marca de fábrica de la generación de Octavio Paz y de los suyos.

Pese a colaborar a su lado, Octavio y sus coetáneos optaron por dejar bien clara desde un principio su propia tendencia, manteniendo las distancias con los «Contemporáneos», y así lo hizo saber el propio Octavio Paz en una nota publicada en el número dos de la revista, correspondiente precisamente al mes de abril de 1939, bajo el título «Razón de ser», donde su autor apuntaba con toda claridad todo aquello que les unía a los «Contemporáneos», pero también todo lo mucho que de ellos les separaba.

Abril de 1939, precisamente...

Aquel número de *Taller* iba a marcar historia, tanto en la publicación de la revista como en el ámbito todo de México, literario o no.

Porque era el mes y el año del final de la Guerra Civil en España. La República, definitivamente, había caído. Los vencedores, con su líder a la cabeza, el general Franco, eran ya los dueños de la situación, tras publicarse el parte de guerra definitivo y último aquel día 1 de abril.

La izquierda española, derrotada, iniciaba el camino del exilio, esa ruta siempre tan dolorosa y terrible que han de seguir obligatoriamente los vencidos. Unos se iban a Francia, sin saber el terrible destino que allí les esperaba cuando estallara la Segunda Guerra Mundial y el Gobierno de Vichy les entregara a los nazis; otros hacia América, en busca de acogida, de una nueva vida lejos de la patria. Octavio Paz no faltó en los muelles, esperando la llegada de muchos viejos amigos de su estancia en España, que llegaban al exilio. Republicanos con el rostro entristecido, la mirada vaga, perdida en distancias de las que tal vez ya nunca iban a volver a saber, o a las que tardarían años en regresar.

La emoción dominaba a Octavio en esos momentos en que volvía a verse cara a cara con aquellos amigos españoles, en circunstancias ya muy distintas. Él, que había seguido día a día los avatares de la contienda de España, que en la redacción de *Taller* solía ser tema cotidiano de conversación, ahora se veía cara a cara con algunos de los jóvenes escritores y poetas a quienes había conocido en la revista *Hora de España.* Todos ellos fueron invitados a formar parte del cuerpo de redacción de *Taller,* idea que los demás mexicanos aceptaron de inmediato, en un movimiento de hermosa lealtad hacia sus colegas del otro lado del mar, que venían huyendo de las represalias propias de toda guerra perdida, y más aún cuando ésta es civil y ha enfrentado a hermanos con hermanos.

Además, aquella iniciativa de aceptar junto a ellos a escritores de otro país que no fuera México, era algo más que un acto de generosidad por parte de los escritores mexicanos. Era también, y por encima de todo, un acto de fraternidad y toda una declaración de principios: no hay nacionalidad concreta en un escritor, su verdadera nacionalidad es su lengua. Y la lengua de unos y de otros, mexicanos o españoles, era la misma: la española. De esa unión no podían sino salir buenos frutos, pensaba Octavio. Y así iba a ser.

En *Taller* ingresaron Juan Gil-Albert, Lorenzo Varela, Ramón Gaya, José Herrera, Antonio Sánchez Barbudo y otros. Gil-Albert fue pronto nombrado secretario de la revista, mientras Octavio Paz era nombrado director de la misma. Una nueva etapa de la revista, que iba a ser sumamente fructífera, comenzaba entonces.

Allí se defendía sobre todas las cosas la libertad de la imaginación, intentando deslindar aquella confusa trama que formaban el arte y la propaganda unidos, tesis que seguiría adelante en todos los números de la revista e incluso en otras publicaciones posteriores que permanecerían fieles a ese postulado de la nueva generación de escritores.

Ellos eran escritores de izquierdas, sí; pero para su obra la izquierda estaba representada por esos sagrados principios que no conocían ideología alguna concreta: la libertad, por encima de todo. Y con ella, siempre la imaginación del poeta, su amor, sus sentimientos, sus enraizamientos con la historia, sin la cual tampoco se entendía la auténtica libertad.

Eran muchos los poetas y literatos que no estaban de acuerdo en México con aquellos principios, entre ellos los de otras generaciones anteriores e incluso muchos de los «Contemporáneos», pero eso a ellos les traía sin cuidado. Pretendían ser fieles a unas normas que habían surgido en su propio seno, y de las que se sentían profundamente orgullosos y satisfechos, porque les permitía huir de cualquier encorsetamiento ideológico, de toda confusión y de cualquier instrumentación propagandística puesta al servicio de la poesía, cuando no esta misma al servicio de aquélla.

Se terminaba la década de los 30 con aquel agitado 1939 que les había traído la amargura de la derrota de las libertades democráticas en España, y el alud inevitable de refugiados y exiliados de su misma lengua, huyendo de un país, el suyo, que a partir de ese momento les era hostil, porque los vencedores eran los del otro bando, los enemigos de la República.

Por entonces no fueron solamente escritores, literatos y poetas, los que arribaron a México para encontrar su nuevo hogar, sino muchos otros, actores por ejemplo, a los que la cinematografía mexicana aceptaba como propios en sus películas, y así iba a ser durante largo tiempo.

A partir de entonces, no sería de extrañar oír entre las voces de acento mexicano otras en las que se advertía su origen español, incluso actores andaluces, gallegos o vascos, entremezclados entre los artistas del Sindicato de Actores Mexicanos. Los estudios Churubusco Azteca, años más tarde, en la década de los 40, iban a ser la acogida de todos esos actores llegados de España, y que dirigentes mexicanos como Mario Moreno, «Cantinflas», iban a proteger y ayudar con toda su inmensa generosidad, como auténticos hermanos. Desde entonces, todos los españoles fueron conscientes de que tenían una deuda con México, incluso aquellos que no tuvieron que exiliarse nunca.

Hoy en día, aún se recuerda todo aquello y se le da a México la más profunda gratitud y el recuerdo emocionado de muchos, muchísimos españoles que supieron y saben de ese generoso recibimiento a los que huían de la posguerra y sus consecuencias.

¡Qué gran diferencia con la horrible suerte que les esperaba a los que no pudieron elegir y tuvieron que entrar en territorio francés, para ser tratados como parias, en campos de concentración, y posteriormente entregados a los nazis para terminar sus días en algún campo de exterminio del Tercer Reich, entre judíos, gitanos y las etnias que los hombres de Hitler se habían empeñado en eliminar!

Otros republicanos pudieron exiliarse a la Unión Soviética, pero andando los años, cuando pudieron regresar a la España que fuera su patria, ya en democracia, admitieron que el ansiado «paraíso soviético», salvo excepciones, nunca fue tal para los vencidos en la Guerra Civil española.

Pero de todo eso nada sabían en aquellos momentos los literatos mexicanos, que se limitaban a recibir entre sus filas a los españoles amigos y colegas con el mismo entusiasmo que si fueran compatriotas, unidos por el idioma pero también por sus ideas y sus ansias de libertad.

Capítulo III

LLEGÓ la década de los 40. Y con ella los nuevos tiempos fueron remarcando más la diferencia entre los escritores de la generación de Octavio Paz y las anteriores.

Por entonces, José Bergamín dirigía en México la Editorial Séneca, y se puso en contacto con varios escritores para editar una antología de la poesía moderna en lengua española. Para ello eligió a Octavio Paz, en compañía de otros autores, como Gil-Albert, Villaurrutia o Prados. La intención de Bergamín era mostrar claramente la continuidad y la unidad de esa poesía, ya fuera mexicana, española, cubana o chilena. Era el idioma común a todos él que contaba, y el que mostraría al lector el nexo entre todos los diferentes autores y distintos países en la creación poética en una lengua común.

Cuando el libro ya estaba en prensa —se le había dado de común acuerdo el título de *Laurel*—, tuvo lugar un desagradable incidente: Pablo Neruda se negó de forma rotunda a figurar en él. Era una deserción demasiado grave como para que la obra siguiera adelante con su ausencia.

Ahí entró en juego Octavio, que mantenía una muy buena amistad con Neruda. Había llegado a México, precisamente en 1940, como cónsul general de Chile, y entre ambos se entabló una profunda amistad desde ese mismo instante. La diferencia entre ambos en ese momento es que el chileno era ya el más grande poeta de toda América, mientras Octavio Paz estaba prácticamente empezando.

Octavio creía conocerle bien, consciente de su carácter generoso, a veces aplastante en su propia cordialidad.

Pero había muchas cosas en el fondo que separaban a ambos hombres, pese a su excelente grado de amistad. Octavio era un hombre celoso de su independencia y sumamente rebelde, sobre todo en algunas cuestiones, por las que no estaba dispuesto a transigir. Sus intentos por disuadir de aquella decisión a Neruda resultaron vanos, tal vez porque ya entre los dos había surgido una clara confrontación que, si bien podía tener algún motivo de tipo estético en su forma de entender la poesía, iba más bien por caminos políticos que otra cosa.

Neruda no disimulaba en absoluto su creciente simpatía por el estalinismo, en tanto Octavio Paz se sentía más y más desencantado con la figura de Stalin como cabeza de la Unión Soviética. Neruda mantenía su admiración hacia el líder soviético, mientras Octavio no podía disimular la escasa simpatía que aquel hombre, con sus «purgas», sus medidas represivas, su autoritarismo y su modo de coartar la libertad de los hombres, provocaba en él.

Así, no es de extrañar que entre ambos hombres empezaran a surgir enfrentamientos inevitables. Por si ello fuera poco, aparte del matiz puramente político de sus profundas diferencias, ocurría que Neruda se mostraba escasamente comprensivo y simpatizante con algunos poetas amigos de Octavio, como el propio Villaurrutia, y cuando él lo defendía con ardor, el chileno se ponía furioso.

Llegando al extremo de sus desavenencias, el poeta chileno llegó a enfrentarse con algunos escritores españoles, incluso con peleas acaloradas y nada dignas de hombres de un mismo oficio, como era el literario. Algunos de esos españoles con quienes Neruda se peleó habían sido anteriormente íntimos amigos del propio chileno, lo que hacía aún más inexplicable su comportamiento para con ellos.

Octavio Paz, siempre fiel a sus amigos como a sus propios principios, se negó no sólo a participar en esas disputas sin sentido, sino que incluso se encaró con Neruda, reprochándole duramente su modo de obrar y echándole en cara con cierta acritud el cambio producido en su persona.

Eso provocó a su vez otra pelea, esta vez entre ellos dos, que casi termina violentamente, con ambos a punto de agredirse, lo que rompió definitivamente esa amistad, y ambos poetas dejaron de hablarse definitivamente.

Era una ruptura en toda regla de la que Octavio Paz no se arrepintió en absoluto, irritado como estaba con la actitud de Neruda hacia personas que gozaban de su amistad y que, por ello mismo, merecían ser defendidas de ataques injustificados. Nunca dio muestras de arrepentirse de aquella desavenencia que dio al traste con una amistad que parecía hecha a prueba de avatares serios. Pero así era Neruda y, desde luego, así era Octavio Paz.

Por contra, en el año 1942 iba a tener oportunidad de entablar relación con otros intelectuales que ejercerían una influencia de suma importancia en sus ideas, especialmente en el terreno puramente político. Ellos fueron, entre otros, Benjamín Péret, Jean Malaquais y Víctor Serge, influencia que iba a tener más resultados beneficiosos que otra cosa.

Era el momento decisivo para Octavio, en que éste editaba el que siempre consideró en realidad como «su primer libro», titulado *A la orilla del mundo,* libro que, si bien en ese preciso momento era para él la auténtica cima de su carrera, posteriormente se iría alejando de su mente y de sus preferencias, como suele suceder con toda *ópera prima* de un autor que aún no está seguro totalmente de lo que su obra inicial supone ni de que sus contenidos sean realmente los que parecen ser en el momento de su alumbramiento.

Por entonces fue cuando tuvo ocasión de iniciar esas nuevas amistades, que no sólo iban a ejercer sobre él una benéfica influencia, sino que en cierto modo iban a suponer una ruptura, al menos en parte, de su habitual aislamiento. Se daba la circunstancia de que todos aquellos nuevos amigos, aunque de ideología izquierdista, como él mismo, provenían en realidad de una especie de oposición dentro de la propia izquierda.

Eran, por decirlo de algún modo, los críticos de su propia ideología, los que no estaban de acuerdo con lo que los izquierdistas convencidos aceptaban como irrefutable y dogma de fe, y presentaban sus propios razonamientos frente a ese dogmatismo que parecía poner fuera de toda duda una crítica a las ideas. Víctor Serge, por ejemplo, era una imagen exacta de ese sentido crítico. Había sido nada menos que primer secretario de la Tercera Internacional, y había conocido personalmente a los grandes líderes del bolchevismo y a sus figuras cumbres.

Cuando se hizo opositor a la política estalinista, el propio Stalin ordenó su destierro a Siberia, hasta que personas de la talla poco sospechosa de un Gide o un Malraux intercedieron por él, y el dictador marxista optó por una medida algo más humanitaria, aunque en el fondo tan autoritaria y poco acorde con la libertad como la anterior: expulsó de la URSS a Serge.

Aquel hombre había cometido el peor de los errores en un régimen que se las daba de utópica liberación del hombre, de líder del proletariado, pero que en realidad era represivo, intransigente y despiadado con cualquier disidente. Había osado criticar el rumbo que llevaba el marxismo con un Stalin a la cabeza. Y eso no se perdonaba.

Octavio Paz, que ya tenía sus dudas sobre las excelencias de tan cacareado sistema de libertades, se convenció entonces, a través de la historia personal de su nuevo amigo, de que las cosas no eran como parecían, y que el marxismo, al menos como lo entendían en la URSS, no iba a ser precisamente la panacea para el hombre explotado por el hombre, para el obrero dominado por el capital, para la izquierda, ansiosa siempre de libertad real.

Eso le aproximó mucho a su nuevo grupo de amigos, especialmente a Serge, al que admiraba mucho cuando le oía hablar de sus propios conceptos de la izquierda como tal, y de la dura realidad que contradecía esas ilusiones, precisamente en la misma cuna del anticapitalismo y de las libertades por excelencia.

Octavio Paz se dio cuenta de que la política no debe ser sólo acción, sino también participación, y que era posible fundir entre sí cualidades tan contrarias como la tolerancia y la compasión con la intransigencia moral e intelectual. Octavio se preguntó, según sus propias palabras, si no sería más importante en este mundo acompañar a los hombres y tratar de ser uno más entre ellos, que intentar cambiar a los hombres y que dejaran de ser lo que eran.

Nuevas amistades, nuevos tiempos, nuevos horizontes, pero para Octavio Paz los problemas continuaban en México. Sentía que se asfixiaba allí, que necesitaba abrirse a otros mundos distintos, ampliar su conocimiento de los pueblos y de las gentes, huir de aquel ambiente que le angustiaba cada día más.

Para él existían problemas de todo tipo, de los cuales el económico no era tampoco de despreciar. La publicación de su libro, *A la orilla del mundo,* recopilación inicial de todos sus anteriores poemas, no le daba las satisfacciones previstas y, de no ser por sus nuevas y vitalizantes amistades, se hubiera sentido aún más asfixiado en aquel clima, que le resultaba tan incierto como agobiante.

Deseaba salir de todo aquello como fuera. El extranjero era el sueño de su vida en ese momento, una ampliación de horizontes realmente vital para sus ansias e inquietudes.

Elena Garro, su esposa, entendía bien lo que pasaba por el alma de su marido, porque ella le comprendía mejor que nadie, y se daba cuenta, como poetisa que también era, pero sobre todo como mujer enamorada, de que Octavio distaba mucho de ser feliz, cercado por tantos problemas y tantas dificultades. Ella sabía de lo que Octavio era capaz, lo que podía hacer si hallaba el camino, y fue la que le alentó más en esos momentos de depresión y pesimismo, sugiriéndole que buscara un medio para salir de todo aquello y buscar más lejos lo que era incapaz de encontrar allí, en su entorno.

Movido por su propia angustia y por los buenos consejos de su pareja, Octavio Paz se decidió a solicitar una beca, la Guggenheim, no muy seguro de que fueran a concedérsela, pero como una única posibilidad de contar con los medios suficientes para alejarse de todo lo que le asfixiaba en esos momentos.

Lo cierto es que no se valoraba debidamente a sí mismo, porque la beca Guggenheim le fue concedida, justamente en aquel mismo año, 1942, para que pudiera viajar a los Estados Unidos.

Por entonces, el mundo entero ardía en guerra, eran los años duros de la Segunda Guerra Mundial, y en diciembre de 1941 había tenido lugar el ataque japonés a la base norteamericana de Pearl

Harbor, por lo que el gigante vecino estaba en esos momentos inmerso en esa guerra contra el eje Berlín-Roma-Tokio, y no parecía al mejor momento para visitar el país ni siquiera con una beca para estudiar la literatura y la poesía norteamericanas en su propio terreno.

Pero Octavio no tenía otro camino que quedarse en México, con todo lo negativo que ello significaba para él en esos momentos, o bien optar por acogerse a la beca concedida y emprender viaje a los Estados Unidos, desentendiéndose del factor bélico, como ya le sucediera anteriormente con su viaje a España en plena guerra civil.

Parecía un sino suyo, pensó Octavio, que siempre que tuviera que desplazarse a algún lugar del extranjero lo hiciera en un período de guerra; pero así eran las cosas, y debía aceptarlas tal como venían.

A fin de cuentas, aunque con un conflicto bélico por medio, la situación era muy diferente a la española. Allí había conocido de cerca los riesgos de la guerra: bombardeos, la proximidad del frente, la muerte a pocos metros de él...

Esto era diferente. La guerra estaba en los campos europeos, en los mares asiáticos, en las islas del Pacífico, pero no en territorio norteamericano, muy alejado de los frentes de batalla, aunque inevitablemente sacudido por la situación bélica en todo el mundo, la movilización, las fábricas de armamento y el lógico clima de tensión y angustia que crea todo ello en un país, por grande y poderoso que sea.

Pero, según le informaron, la vida transcurría con una cierta normalidad en el país norteamericano, y no iba a tener problemas de ningún género para realizar sus estudios literarios y llevar a cabo las actividades previstas en su beca.

De modo que eso convenció definitivamente al matrimonio Paz a emprender aquel viaje, dejando atrás su México natal para iniciar el periplo por distintas poblaciones estadounidenses donde estudiar la cultura norteamericana y sus tendencias literarias.

Octavio conocía bien, antes incluso de emprender ese viaje, mucha de la obra literaria de los grandes escritores norteamericanos. No le era nada extraña, por ejemplo, la poesía de Walt Whitman, uno de los grandes defensores de los valores democráticos, o la prosa realista e incluso cruel de un William Faulkner, de Dos Passos o de Hemingway, pero lo que él quería ahora era sumergirse en el modernismo norteamericano, en la nueva literatura angloamericana, y eso era algo que en ningún otro lugar podría desarrollar mejor que en los propios Estados Unidos.

Hacia allí partió Octavio Paz, iniciando su primer gran viaje por el mundo, por países distintos al suyo propio. Iba a ser ése el primero de una larga serie de ellos que le llevarían a conocer remotos confines del planeta, y que forzosamente influirían posteriormente en su obra.

Ahora, de momento, era un país cercano, un vecino. Luego serían otros lugares infinitamente más lejanos.

Era el principio de una nueva etapa en su vida, la de su máximo esplendor, sin duda alguna.

Cuarta Época
Diplomacia y galardones

Capítulo I

San Francisco, California. Universidad de Berkeley. Era la primera parada de su viaje por los Estados Unidos. Allí recaló inicialmente Octavio Paz, con su beca Guggenheim bajo el brazo, para empezar el estudio de la literatura del *moderism* angloamericano.

En San Francisco se respiraba el aire de la guerra como algo distante y cercano a la vez. Soldados de permiso, heridos de guerra con sus cicatrices y amputaciones, muchachas de uniforme de los Servicios Auxiliares...

Era lo que se podía ver por las calles, allí, ante el Golden Gate, ante el aparentemente tranquilo océano Pacífico, allá en cuyas aguas distantes tenía lugar la gran batalla con los japoneses, la lucha isla por isla, costa por costa, contra el enemigo oriental.

No, en los Estados Unidos no se veían sacos terreros ni sonaban sirenas de alarma, como en aquel Madrid o aquella Valencia de 1937, en España. Pero se respiraba el aire de la guerra, se palpaban sus consecuencias, se notaba en calles, en edificios, dondequiera que uno fuera. Podía ser algo todo lo lejano que se quisiera, pero el país *vivía* esa guerra con la misma intensidad que si tuviera encima los *zeros* japoneses o los *Fokker* alemanes bombardeando sus ciudades.

Era algo intangible, pero profundamente real, aunque todo pareciera en calma y el mundo allí diera la impresión de una paz inalterable. Octavio Paz podía sentir en el fondo de su propio ser la presencia invisible del fantasma de la guerra, con sus amigos, sus inquietudes, sus angustias, sus esperanzas también.

No lo sabía aún cuando pisó por primera vez tierra norteamericana y recorrió las empinadas calles de San Francisco, pero aquella experiencia suya, en un país en guerra, iba a resultar tonificante, contra todo lo que podía esperar antes de emprender ese viaje.

Se olvidó de todas sus ideas políticas, de todo lo que no fuera poesía, y se entregó a ésta de tal modo que todo el lastre ideológico de antes se fue con el viento salino de la bahía, lejos de su mente, renovada y refrescada, al fin inmersa solamente en el estudio y el análisis de lo puramente literario, de una poesía que empezaba a darse cuenta que era lo más importante de su vida, politiqueos aparte.

Como no conocía a nadie, su primer paso, su primera actividad en los Estados Unidos fue leer, leer y leer. Los poetas norteamericanos, clásicos o modernos, antiguos o contemporáneos, pasaron por sus manos, absorbiendo todo su tiempo y toda su atención.

Era ya 1943, y tenía ante sí todo el tiempo que su beca le permitiera permanecer en aquel país, estudiando, ensayando, planificando nuevas obras, buscando nuevos medios de expresión, nuevas ideas, conceptos nuevos, caminos distintos que no rompieran su estilo ni su estética, pero que pudieran engrandecer y renovar su visión de la poesía.

Sabía que la beca Guggenheim tenía un tiempo concreto de duración, y aparte ese ingreso para financiar sus estudios literarios y su estancia en el país, no contaba con un solo peso de su pecunio particular que le permitiera hacerse ilusiones de prolongar demasiado aquella estancia, de modo que tenía que aprovechar su tiempo y sacar el máximo provecho posible del mismo.

Pero los problemas de tipo económico eran tan habituales en un artista, fuera escritor o lo que fuera, que estaba muy habituado a ellos, aunque a veces le agobiaran en exceso. Formaban parte de la vida misma del escritor, él bien lo sabía por experiencia propia y también por muchísimas experiencias ajenas, similares a la suya. Aún no era nadie y lo sabía. Publicar aquella obrita recopilatoria en

México, poco antes de su partida hacia los Estados Unidos, era poco menos que nada, y él sabía, incluso, de autores muy consagrados que las pasaban mal para sobrevivir.

Por eso no le preocupaba demasiado su inmediato futuro financiero, que presagiaba tan lleno de estrecheces como el pasado inmediato, en cuanto las aportaciones de su beca tocaran a su fin. Simplemente, quería ser feliz aquel tiempo, durara el tiempo que fuera, y a fe que lo logró. Muchas veces afirmó, años más tarde, que aquel período de su vida fue uno de los más felices. E incluso así lo hace constar en algunos de sus apuntes autobiográficos.

Tal vez el hecho mismo de haber apartado de sí los vicios propios de los primeros años de escritor, de haber liberado su poesía de cargas ideológicas innecesarias y de creer haber encontrado al fin el principio de su camino creador, ejercieron un balsámico efecto sobre él, dándole aquella sensación de felicidad de que tanto hablaría después, con la perspectiva que da la distancia.

Pese a considerarse un perfecto desconocido como poeta, la verdad es que no lo era tanto, al menos en los círculos culturales mexicanos, incluso del extranjero, por lo que le sorprendió, y mucho, que durante su estancia en los Estados Unidos durante los años 1943 a 1945, le llegara un ofrecimiento del Servicio de Exteriores Mexicano, ofreciéndole un puesto en sus instalaciones para cumplir misiones diplomáticas en los Estados Unidos, representando a su país. Esto sucedía exactamente en 1944, cuando ya llevaba algún tiempo basculando entre Berkeley y Nueva York, absorbiendo cuanto le era posible de la poesía angloamericana, especialmente del movimiento llamado allí *modernism,* y que ellos, en México, conocían por su traducción literal española de «modernismo».

Durante 1944 y 1945 llevó a cabo todas esas tareas diplomáticas en el país, justamente cuando más violenta y decisiva era la situación bélica internacional, y cuando empezaba a entreverse en la distancia, no demasiado lejos ya, la victoria de los aliados sobre el fascismo, como se denominaba comúnmente a la alianza entre la Alemania de Hitler, la Italia de Mussolini y el Japón imperialista de Tojo. Al parecer debía cumplirlas a satisfacción del Departamento de Exteriores, ya que en 1945, tras la caída del nazismo en Europa y la ocupación de Berlín por las tropas rusas, y recientes aún las terroríficas explosiones atómicas de Hiroshima y Nagasaki, que pondrían fin definitivo a la conflagración mundial, el Servicio Exterior de México le encomendó otra misión diplomática, ahora representando los intereses mexicanos en Europa, concretamente en Francia.

Comenzó entonces para Octavio una nueva época en la que, junto a sus tareas del servicio diplomático, tuvo ocasión de colaborar con las más importantes publicaciones vanguardistas de Francia y de Inglaterra. Su periplo europeo iba a ser prolongado, durando exactamente hasta 1951. Fue un período rico en experiencias para Octavio Paz, que tuvo ocasión de intimar con los más destacados intelectuales del continente europeo y de crearse amistades que nunca hubiera llegado a pensar.

Frecuentó los círculos de los grandes escritores y pensadores franceses, hizo amistad con muchos de los que él, allá en México, había considerado siempre auténticos maestros de la pluma, genios de las letras, próximos a él en sus conceptos de libertad del hombre y otros principios que le eran tan queridos. Su amistad con personas como Albert Camus, Papaioannou o Castoriadis, se estrechó de inmediato. Camus había sido también un ferviente comunista, hasta que se separara del Partido, y había combatido en la Resistencia francesa, pese a su delicado estado de salud.

Las polémicas de Camus con la propia prensa de izquierdas de su país eran famosas en todas partes, ya que Camus tenía su propia visión de las cosas, que iba mucho más allá de lo que los demás aceptaban como bueno. Se sentía, como Octavio mismo, muy desengañado por muchos acontecimientos que le convencían de que los verdaderos principios de la izquierda se estaban adulterando, llegando a romper incluso con su mejor amigo y colega, Jean Paul Sartre.

Más tarde demostraría hasta qué punto llegaba su rebeldía ante ciertas cosas cuando provocara el escándalo al rechazar el Premio Nobel de Literatura, ya en 1957. Y es que el mundo de Camus representó, hasta su desgraciada muerte en accidente de automóvil, su desesperanza y la de buena parte del mundo de la posguerra, desorientado espiritualmente y falto de alegrías humanas. Por eso las constantes de su producción literaria iban a ser el absurdo, visto con desgarro torturante, la desgana de vivir y, al mismo tiempo, el ansia natural de infinito.

Era, como se ve, una personalidad compleja y difícil, pero que sin embargo conectó bien con Octavio Paz, hasta crearse entre ellos una amistad que Camus no acostumbraba a prodigar demasiado con otros compañeros. Tal vez su común sentido crítico de muchas cosas que a otros no parecían preocuparles en exceso, fue el factor que tanto les aproximaba.

También se acercó mucho Octavio a los surrealistas, en especial cuando conoció a André Breton y se hizo así mismo muy amigo de él. Breton era uno de los más famosos representantes del surrealismo, defendido éste como bandera revolucionaria no tan sólo artística, sino también ideológica y, sobre todo, profundamente política.

Como Camus y como el propio Octavio, también él había militado en el comunismo en los inicios de su actividad literaria, pero más tarde, al igual que sus compañeros, iba a reaccionar contra él, aunque sin abandonar nunca totalmente su postura materialista y una definición del hombre de corte psicologista, que no dejaba de recordar, y mucho, las propias teorías de Freud.

Breton fue promotor del movimiento dadaísta, clamando por la destrucción de todo lo que no fuera la fantasía de cada individuo. Era hombre rebelde, brillante, un prosista de primera fila, pero sin embargo como poeta dejaba bastante que desear.

Con este hombre también iba a hacer Octavio Paz muy buenas migas, probablemente porque ambos tenían la misma visión sobre la fantasía, la imaginación de cada individuo, y eran más las cosas que les unían que las que pudieran separarles. El interés de Octavio por el movimiento surrealista, tan en boga, no hizo sino aproximarles más todavía.

Octavio se sentía realmente feliz entre todos aquellos hombres con quienes tan afín se sentía, y cuyas ideas no sólo comprendía o compartía, sino que le influenciaban a él, a la vez, dando nueva orientación a su pensamiento poético, a su modo de expresarse, a la naturaleza misma de sus sentimientos creativos.

En 1949, y gracias a la mediación eficaz de otro buen amigo, Alfonso Reyes, que le ayudó en la empresa todo lo posible, conseguía Octavio publicar aquel que, esta vez sí, iba a considerar como «su verdadero primer libro», ya hablando en serio.

Se trataba de su obra *Libertad bajo palabra,* de la que se sintió realmente orgulloso y satisfecho, muy lejos de aquellos intentos lejanos, en su México natal, cuando editaba sus primeras obritas, que luego procuraba olvidar e incluso ignorar, como si nunca hubieran sido realmente suyas.

Esta vez, sí. Era *su* obra, su primera y auténtica obra, capaz de satisfacer sus propias exigencias de autor. Pero no tardando mucho —menos de un año, en realidad—, su inspiración iba a permitirle publicar el que sería luego su conocidísimo ensayo sobre el mexicano y su mundo. Era en 1950, y la obra llevaba por título *El laberinto de la soledad.* Empezaba a ser un autor famoso, un poeta como él había soñado ser, un Escritor, así, con mayúscula.

Confirmando este hecho indiscutible, solamente un año más tarde, en 1951, se atrevía a experimentar con un libro de poemas en prosa, que según él poseían una tan fuerte influencia surrealista que era como un «contagio» inevitable, fruto de los tiempos y resultado, sobre todo, de su contacto personal con el mundo del surrealismo. La obra era *¿Águila o sol?,* y pese a ser como una experiencia propia, una incursión en el mundo literario que le resultaba casi nuevo, el éxito de la obra, al publicarse, fue arrollador.

El nombre de Octavio Paz empezaba a ser mencionado con respeto y admiración. El poeta había, finalmente, nacido. Una eclosión de verdadera poesía, al servicio de sus sentimientos, y desprovista ya de dogmatismos y lastres inútiles, iba definiendo la verdadera personalidad literaria de aquel hombre.

Paralelamente a sus actividades literarias, Octavio no abandonaba las tareas propias de su cargo diplomático y sabía compaginar ambas labores con total perfección. La Secretaría de Relaciones Exteriores de México estaba satisfecho de su funcionario, y a partir de 1952 le iba a asignar nuevas tareas que le llevarían muy lejos de los que hasta entonces habían sido sus ambientes habituales, ayudándole a sumergirse en mundos nuevos y distintos, donde poder ampliar su visión poética con muy diferentes inspiraciones y con influencias totalmente distintas a todas aquellas hasta entonces conocidas.

Porque sus trabajos diplomáticos llevaron a Octavio Paz, durante más de un año, entre 1952 y 1953, hasta lugares tan remotos como Nueva Delhi, en la India, y Tokio, la capital japonesa, aparte un tiempo desempeñando sus labores en Suiza, concretamente en Ginebra.

Excusado es decir la influencia imprevisible que países y civilizaciones tan distintos, como la India o Japón, tienen en su modo de ver y de sentir la poesía. Mucho del espíritu oriental entra en él, y le hace vislumbrar nuevos conceptos y nuevos modos de ser y de pensar. El choque de su mentalidad mexicana, española, latina, con el ascetismo oriental, con el pensamiento hinduista o con la exquisitez poética del Japón tradicional e histórico, es realmente violento, y a la larga lo único que conseguirá es llevarle al poeta nuevas y mejores formas de expresión y una sensibilidad creciente para representar en sus poemas los sentimientos más profundos del hombre.

Pero tanto viajar, tanto conocer mundo, tanto visitar ambientes y civilizaciones que en principio le resultan extrañas y distantes, le van fatigando de forma insensible pero cierta. Necesita algo así como un período de descanso, de reflexión, de recogimiento en sus propias ideas. El retorno a casa, a su México natal, parece ser lo que tanto necesita.

Y, por suerte, lo logra. Terminan sus prolongados viajes, sus estancias en países tan diversos, y puede por fin regresar a tierras mexicanas, cargando de experiencias pero también de confusiones que precisan de un tiempo para ser ordenadas y aclaradas debidamente.

Vuelve a México, pero su período de posible descanso se va un poco al garete, aunque esta vez no tenga que moverse de su tierra para actividad alguna.

Apenas llegado al país, lo cierto es que El Colegio de México concedía a Octavio Paz una beca para escribir un ensayo sobre la experiencia y la revelación poéticas. Aceptado el encargo, Octavio se lanzó a la tarea de trabajar en él con todo su entusiasmo, y que vería la luz más tarde, concretamente en 1956, con el título de *El arco y la lira,* pero que de momento no publicó, aunque sí editaría en 1954 otra obra, *Semillas para un himno.* Como se ve, Octavio trabajaba intensamente, y su producción poética aumentaba de forma constante, acrecentando su ya reconocido prestigio y su fama como autor.

Octavio Paz ya no es la promesa que todos esperaban antes que llegara un día a fructificar en realidad, como lo esperaba sin duda él mismo, impaciente por llegar a donde quería y a demostrar al mundo, pero sobre todo a sí mismo, todo lo que había dentro de él y la manera ideal de expresarlo.

Ahora era una realidad concreta, un poeta ante el que todos se inclinaban, incluso sus detractores, que no podían sino admitir su calidad indiscutible, la fuerza de su creatividad, la grandeza de sus ideas y la perfección formal de su estilo y de sus convicciones más íntimas.

Cada obra de Octavio Paz que salía a las librerías era recibida con expectación. Él tenía que haberse sentido sobradamente satisfecho con ello, porque era lo que durante tanto tiempo había estado esperando, y ahora estaba allí, en sus manos.

Pero Octavio era inquieto, siempre lo había sido. A Octavio le encantaba lo nuevo, las experiencias diferentes, el probar fortuna en algún otro medio en el que hasta entonces no se hubiera atrevido a mezclarse o en el que ni siquiera hubiera pensado.

De ese modo, en 1956, iniciaba una nueva aventura de dudoso final y de dificultades que ni él mismo sospechaba cuando se le ocurrió abordarla.

La aventura teatral.

CAPÍTULO II

En México se había organizado un grupo teatral experimental que empezaba a tener algún éxito, pese a que siempre esa clase de aventuras solían tener un resultado bastante incierto.

Un entusiasta grupo, formado por gente como Juan Soriano, Leonora Carrington o Juan José Arreola entre otros, llevaba adelante esa prueba teatral, que se atrevía con textos clásicos en ocasiones, pero que especialmente dedicaba su atención a obras noveles, preferentemente poéticas, por supuesto, ya que el grupo en cuestión llevaba el nombre de Poesía en Voz Alta.

Recitaban poemas fragmentados u obras completas indistintamente, y la propia Elena Garro, esposa de Octavio Paz, formaba parte así mismo del grupo teatral. Ni corto ni perezoso, Octavio se sintió interesado por la experiencia, y se dispuso a escribir algunas cosas para la compañía, escribiendo en 1956 su primera obra teatral, *La hija de Rappaccini,* que sería estrenada en 1956 por aquel grupo experimental de teatro.

Aunque años más tarde volvió a ser representada, concretamente en 1965, por una compañía profesional de actores, lo cierto es que la experiencia teatral de Octavio Paz no tuvo nada de brillante, y la obra resultó un fiasco.

No era lo mismo escribir para la escena que para las páginas de un libro, no era igual crear una obra de teatro que un poema. Las técnicas eran distintas, los resultados también. El mejor poeta del mundo podía ser, ni más ni menos, que el peor autor teatral del planeta, sin que ello extrañara a nadie.

Demasiado tarde, Octavio descubrió que no había nacido para ser dramaturgo, y aunque sus poemas fueran buenos, en el escenario no sonaban bien ni llegaban al público como él había esperado. La mecánica teatral, la puesta en escena, no iba evidentemente con él, y el resultado no podía ser sino un fracaso.

La experiencia le molestó e irritó. Hirió su orgullo tan profundamente, que, aun sin quererlo, echó las culpas de aquel fracaso como dramaturgo a su propia esposa, Elena, que le había convencido en gran parte para que llevara a cabo la experiencia. Esta situación provocó tensiones en la pareja. Y lo que parecía una tormenta en un vaso de agua, cobró dimensiones insospechadas.

Octavio Paz y Elena Garro se separaron.

Fue un divorcio sorprendente para muchos, que no habían percibido en la vida de la pareja motivos de disensiones como para llegar a ese punto. Octavio nunca quiso hablar demasiado sobre el tema, y las cosas no se aclararon jamás demasiado, pero la pareja estaba definitivamente rota, y a muchos les resultaba cuando menos extraño que esto hubiera tenido que pasar tras el experimento teatral fallido.

Tras su separación de Elena Garro, Octavio sería nombrado director de Organismos Internacionales del Servicio Exterior Mexicano, lo que significaba la reanudación de sus tareas diplomáticas, tras un breve período de descanso e inactividad en ese sentido. Lo cierto es que nunca habían dejado de pensar en él para misiones de diplomacia en el mundo, y su nombramiento en ese momento era el reconocimiento implícito del Gobierno de la nación a sus buenas gestiones como representante diplomático de su país en aquellos lugares donde había ejercido tal tarea.

Ello no le impedía en modo alguno seguir creando poemas nuevos, prueba de lo cual es que, mientras era nombrado para su nuevo cargo en 1956, ya en 1957 veía la luz uno de sus más grandes y hermosos poemas, *Piedra de sol.* Los años siguientes iban a ser los de mayor actividad del poeta, que editaría hasta cuatro libros distintos, en una muestra de su capacidad de trabajo y de su fértil inspiración, que dejaba anonadados a sus críticos y admirados a sus incondicionales. Octavio Paz parecía haberse convertido en un hombre infatigable, capaz de hacer surgir a raudales el gran río de su inspiración, creando a un ritmo que nadie era capaz de seguir.

Pero en él, sorprendentemente, la calidad iba unida siempre a la cantidad, y su obra, tan extensa y prolífica, nunca era apresurada ni fruto de la improvisación, sino el resultado de saber llevar al papel todo cuanto fluía de su portentosa imaginación de autor.

Así, en 1958, era *La estación violenta* el libro por él firmado que podía verse en las estanterías de todas las librerías mexicanas, mientras que en 1960 editaba un compendio de su obra poética entre los años 1935 a 1957, titulado precisamente así: *Libertad bajo palabra: obra poética 1935-1957.* En 1962 escribiría *Salamandra,* y reeditaría, corregido y ampliado, su libro *Las peras del olmo,* escrito en 1957, libro donde se incluía uno de sus más legendarios estudios poéticos, el titulado *Poesía de soledad y poesía de comunión.*

Como se ve, fueron años de intensa labor literaria aquellos últimos de la década de los 50, coincidiendo precisamente con el fin de su fracasada aventura teatral y el propio final amargo de su matrimonio con Elena Garro. En ellos pareció volcarse con renovados ímpetus toda la enorme inspiración poética del autor, como un alud incontenible de hermosos poemas.

Hizo bien Octavio Paz en aprovechar esos pocos años en tanta labor creativa, porque pronto iban a volver los largos viajes y las estancias en lejanos lugares del mundo, si bien en todo momento compaginando su carrera diplomática con su actividad literaria. Es más, los nuevos desplazamientos a lo largo y ancho del mundo iban a provocar en él renovadas influencias, sobre todo una orientalización muy perceptible en su obra, aunque sin olvidar nunca todo lo que unía a los poetas europeos, ya fueran franceses o españoles, y también a los de tierras americanas de lengua española. Era tan afín a todos ellos, que ninguna influencia extraña podía apartarle de su fidelidad a las antiguas corrientes, las de siempre; a sus admirados colegas de lengua española o francesa, e incluso de los literatos de lengua anglosajona, que tan a fondo llegara a conocer en su aventura norteamericana, en sus primeros días de diplomático y en los tiempos en que disfrutara de la beca Guggenheim.

En 1962 sería nombrado embajador de México en la India, donde permanecería ejerciendo tal labor nada menos que seis largos años, hasta 1968. Tiempo suficiente para empaparse de la mentalidad del país y de sus gentes, de penetrar en el espíritu oriental y de dejarse influir por él en su nueva producción poética, vencido por el hechizo de aquel mundo que le rodeaba.

Sus primeros años de labor diplomática en la India no le dejaron apenas tiempo de componer poesía, salvo en breves ratos libres, y de un modo algo informal, como ensayando nuevas formas de expresión modeladas por el mundo hindú, por el clima que le rodeaba, por sus gentes y su pensamiento, por la cultura de una tierra que lograba dominar sus ideas y ejercer su influjo, casi mágico, sobre las palabras que salían de su pluma.

De ese período, por tanto, no se conoce nada en especial, y todo cuanto en ese tiempo pudiera hacer, no hay duda de que fue archivado, guardado para otra ocasión, a la espera de poder editar alguna obra completa con sus nuevas creaciones. Hasta 1965 no vería la luz su primera obra de clara influencia oriental, *Viento entero,* donde sin duda recopiló mucho del trabajo que hasta entonces hiciera de forma anónima en sus momentos libres, que no eran muchos, puesto que sus tareas de embajador no le dejaban demasiado tiempo del que disponer para su labor poética.

Desde su lejana India, el actual embajador de México sabría del estreno en plan profesional ya, en los escenarios de su país, de su primera —y única— obra teatral, *La hija de Rappaccini,* en 1965 concretamente, y que tuvo tan fría y desangelada acogida por parte del público como la tuviera en su estreno experimental años atrás. Ni siquiera el hecho de que su autor fuera un poeta del prestigio y la categoría de Octavio Paz pudo salvar su obra del nuevo fracaso en los escenarios. Evidentemente, no había nacido para el teatro, pensó con cierta amargura, pero también con el sentido del humor que dan los fracasos cuando ya se han experimentado tiempo atrás, y uno ha sabido asumirlos.

Ya nada de todo eso tenía para él mayor importancia, porque la experiencia teatral era agua pasada, y su actual trabajo diplomático, unido a su actividad creativa como poeta, le ocupaban demasiado la mente y el cuerpo como para pensar en otra cosa que no fuera lo que llevaba en el presente entre manos.

Seguía escribiendo, y seguía haciéndolo con una cada vez más clara influencia oriental en sus poemas, inevitablemente sugerido por el mismo aire que respiraba, por el mundo que le rodeaba, con su misticismo y su imaginación, tan diferentes a los occidentales. Respirar el aire de la India, ver y hablar a sus gentes, moverse entre ellos, entre aquel mundo y aquella cultura, no podía sino traerle influencias ajenas, capaces de enriquecer su obra con nuevos hallazgos.

No era por tanto extraño que solamente dos años más tarde, en 1967, otro libro de Octavio Paz viera la luz. Sus poemas, igualmente, reflejaban ese orientalismo que dominaba ahora su trabajo. El título del nuevo volumen de poemas era el de *Blanco,* al que en 1968 seguiría otro de similares características, *Discos visuales.*

La que pudiéramos denominar su «etapa orientalista», por definir de alguna manera la poesía orientalizada de Octavio Paz en ese período, terminaría en 1969, con otro libro titulado *Ladera este.*

Pero lo curioso, y lo que hace que uno se sorprenda más y más de la enorme capacidad de trabajo y de la inspiración riquísima y exultante del poeta, es que durante ese mismo período de tiempo en que lanzara a la luz todas esas obras de poesía de fuerte influencia oriental, no cesara su actividad en otro aspecto de su obra poética, ni muchísimo menos.

Porque si ya publicar todo lo que se ha mencionado es la prueba evidente de una labor tan prolífica como notable en su calidad, no digamos nada si, al mismo tiempo, un escritor es capaz de escribir hasta cinco libros más, en esta ocasión sobre la poesía suya de siempre o estudiando la obra de los demás a través de su propio prisma, en una labor realmente titánica, que muy pocos autores pueden permitirse el lujo de llevar a cabo.

No fueron sus otras obras libros de poemas propios, propiamente dicho, valga la redundancia, sino más bien obras de ensayo sobre la labor ajena; pero si como poeta demostraba Octavio en todo momento ser uno de los gigantes en la materia, como ensayista también resultaba brillante e incisivo, agudo y penetrante como pocos, siempre con sus personales reflexiones sobre otros poetas y sus obras.

Puede decirse que la década de los 60 marca uno de los períodos más fértiles de Octavio Paz, aunque lo cierto es que en cuanto a fertilidad nunca se le pudo reprochar nada. Antes al contrario, su obra es tan extensa como fructífera, tan abundante como clarividente.

En los 60, por cierto, terminando ya la década, es cuando de nuevo iba a conocer el amor, y Octavio Paz se casaría con la que fue su segunda esposa, María José Tramini.

CAPÍTULO III

PERO la segunda parte de la década de los 60 no iba a traer solamente la felicidad conyugal por segunda vez a Octavio Paz, sino muchos otros logros y satisfacciones relacionadas, no con su vida privada, sino con su actividad literaria.

Ya hemos hecho mención de toda la obra poética de ese período, con sus claras influencias orientales, fruto de su estancia en los países que se las inspiraran. Y hemos apuntado que no fue solamente esa labor la que llevó a cabo, con ser mucha, y más si pensamos que tenía que compaginarla con sus actividades como embajador. Aparte de todo ello, Octavio Paz aún tuvo tiempo para dedicarse al ensayo, escribiendo lúcidos estudios literarios sobre muchos de sus autores preferidos, sobre aquellos que más podían haber influido en su propia obra o, simplemente, los que atraían su interés como poeta, como literato y como hombre.

Así, centró sus reflexiones en personas como Rubén Darío, Pessoa, López Velarde o Cernuda, su gran amigo Cernuda, entre otros. A todos estos poetas les dedicaría su obra *Cuadrivio,* pero fue capaz de escribir otros muchos libros de ensayo en los finales de los 60. *Los signos de rotación,* en 1965, al que seguiría en 1966 el llamado *Puertas al campo* y en 1967 *Corriente alterna.*

También por entonces estudió a Lévi-Strauss en su ensayo *Claude Lévi-Strauss o el nuevo festín de Esopo,* libro donde analiza al antropólogo belga, creador de la Antropología estructural. Lévi-Strauss se servía de la lingüística, de la informática, de la comunicación e incluso del marxismo y del psicoanálisis freudiano, para con todo ello elaborar la teoría de los fenómenos sociales. Se centra su teoría fundamental en exponer la situación de un mundo dominado por la técnica y la máquina, donde el hombre tiene poco o nada que hacer por propia iniciativa.

A Octavio Paz le interesaba ese hombre y sus tesis, así como su inclinación a una antropología atea y existencialista. Como el propio Octavio, Lévi-Strauss también era un diplomático, aparte todo eso: agregado cultural de la Embajada de Francia en los Estados Unidos, y era doctor en Filosofía entre otras cosas más. Una personalidad fascinante, que Octavio Paz estudió en su obra sobre él, intentando descubrir lo más profundo y lo más íntimo del pensador y antropólogo.

En 1967 editaba *Corriente Alterna* y en 1968 un ensayo sumamente interesante, titulado *Marcel Duchamp o el castillo de la pureza,* obra en torno a la personalidad y obra del gran artista francés Marcel Duchamp-Villon, pionero del arte experimental y uno de los iniciadores del dadaísmo. Miembro de una familia de artistas de la más diversa condición —un hermano pintor, otro escultor, una hermana paisajista—, Marcel es el más importante de todos ellos. Iniciado con la tendencia impresionista, no tardaría mucho en pasarse al cubismo. Es él uno de los que anuncian el llamado «movimiento dadá» con la creación de los *ready-made,* objetos corrientes, vulgares, como pueden serlo un simple abrelatas, una vieja rueda de bicicleta o cualquier otro elemento parecido, para transformarlos y elevarlos a la categoría de arte.

Duchamp llega a emplear por vez primera el vidrio como material, y así resulta que la que es posiblemente su obra auténticamente maestra, *Placas Rotatorias de Cristal,* realizada en 1920, iba a abrir las puertas del arte cinético. Defensor de un movimiento radical llamado «La antipintura», publicó en la revista *291,* dedicada a explicar qué era exactamente el concepto de «antipintura», y en los Estados Unidos se atrevió a pintar un cuadro, *La Gioconda con bigotes superpuestos,* ejemplo vivo de lo que la muestra del «antiarte» defendido por Marcel Duchamp, y que Octavio Paz, siempre en busca de estudiar y analizar tendencias dispares, nuevas e incluso revolucionarias, analizaría en la citada obra de un modo exhaustivo.

En su inconformismo constante, en su búsqueda incansable de las diferentes tendencias de ser humano, del artista, del creador, por expresar lo que lleva dentro de sí, Octavio buscaría así mismo una revisión a fondo de los distintos usos y costumbres de Oriente y de Occidente, y su influencia en el arte y en la literatura de ambas culturas, en su nuevo ensayo *Conjunciones y disyunciones,* editado en el año 1969, precisamente en la misma época en que iba a contraer nuevo matrimonio, esta vez con la antes citada María José Tramini.

Antes de esto, en 1968 exactamente, siendo presidente de México Gustavo Díaz Ordaz, había tenido lugar la represión gubernamental contra los estudiantes en Tlatelolco, sangriento incidente que convulsionaría política y socialmente al país, y que dejó profunda huella en la sensibilidad de Octavio Paz, herida por la barbarie policial y por la actitud represiva e intolerante del Gobierno.

Ello le afectó de tal manera que, sin pensárselo dos veces, y aun a riesgo de parecer desafecto a la política de su país en tan delicados momentos, no dudó en presentar la inmediata dimisión de su cargo diplomático. Fue inútil cuanto se hizo por disuadirle de esa radical decisión, muy propia de él, un amante eterno de las libertades del hombre en cualquier circunstancia.

Así, aun ganándose las antipatías de una gran parte de la opinión oficialista y poniendo en situación delicada al Gobierno, que tras la represión andaba ya muy tocado, Octavio Paz salió adelante con su decidida actitud, negándose en redondo a colaborar en modo alguno con gobernantes capaces de tan violentas medidas contra la población civil, representada por aquellos estudiantes inmolados vergonzosamente para descrédito de la política de su país ante el mundo entero.

Aquellos años finales de la década de los 60 no iban a ser nada fáciles para Octavio Paz en su propio país, mal visto por los gobernantes y por un sector muy concreto pero influyente de la sociedad mexicana del momento.

Pero él, ajeno al revuelo formado por su actitud valiente y generosa, llena de la independencia que había sido de siempre su lema más preciado, pasó olímpicamente de todo ello, ignoró la hostilidad que su persona pudiera despertar en ciertos sectores y prosiguió con su obra literaria, aunque decidido a abandonar cuanto antes un país, el suyo propio, que tan mal sabía entender su sentido estricto de la libertad humana.

Octavio Paz tuvo por entonces la suerte de ser invitado a visitar Inglaterra, como profesor invitado por la Universidad de Cambridge, y en 1970 llegaba a las islas Británicas, alejándose así muy oportunamente del asfixiante cerco a que le intentaban someter políticamente los dirigentes de su país.

Transcurriría un año entero de estancia en Inglaterra, donde sería recibido en olor de multitudes y tratado por los ingleses como lo que realmente era: uno de los grandes genios de la literatura hispanoamericana e incluso mundial.

Ello le sirvió para poder publicar, con entera libertad, sin cortapisas ni frenos, su ensayo llamado *Posdata,* que vio la luz en 1970, y en el que hacía una profunda y exhaustiva revisión del 68 mexicano, sobre todo a través de sus trabajos «Olimpiada y Tlatelolco» y «Crítica de la pirámide», donde los acontecimientos dolorosos y terribles de Tlatelolco eran presentados de forma desnuda e implacable, y en cuyo análisis no perdonaba ni justificaba a nadie que hubiera tenido la más mínima culpa en aquella represión que a él tanto le había indignado y seguía indignándole.

Aun con eso, tuvo todavía tiempo de escribir un libro de poemas, cuyo título fue *Topoemas,* editado en 1971, trabajando de inmediato en otro nuevo volumen, aunque éste ya no vería la luz hasta 1972, bajo el nombre de *Renga.* Una vez más se demostraba la inmensa capacidad de trabajo de Octavio y su increíble producción, siempre tan prolífica como fiel a su eterna calidad.

No tardaría en regresar a México, pese a toda su clara disidencia política con el Gobierno de su país. Ahora era presidente Luis Echeverría Álvarez, y aunque la tendencia política del país era la misma de siempre, puesto que seguía gobernando el mismo partido de antes, nadie pensó ni remotamente en tomar represalia alguna contra Octavio Paz. Su prestigio ante el mundo estaba demasiado alto como para cometer un error así con su persona.

De modo que, haciendo de tripas corazón, el México oficialista no podía sino recibir el regreso de uno de sus hijos predilectos, orgullo del país ante el mundo entero, tal como merecía: con todos los honores, y respetando siempre sus principios y sus criterios.

Aun así, Octavio siempre era él mismo, y su fidelidad a sus criterios y a su conciencia estaban por encima de todo. Por ello no es de extrañar que, apenas llegado de nuevo a su país, fundara, en compañía de otros varios intelectuales, la revista *Plural*, que iba a destacar por sus valores dentro del ambiente literario y artístico de todo México.

Fue una publicación de tanto éxito, que su vida iba a ser muy prolongada para lo que era habitual de vivencia en esa clase de revistas, dedicadas a un público muy concreto. Nada menos que seis años casi, hasta 1976, iba a poder verse en los puestos de periódicos y librerías la nueva creación editorial de Octavio y sus amigos y compañeros de generación literaria.

A su término, en el mismo 1976, Octavio Paz no se sintió satisfecho con el cierre definitivo de *Plural*, y fundó otra revista similar en contenidos y tendencias, a la que llamó *Vuelta*. Ésta sí iba a resultar una publicación muy duradera, puesto que su presencia en el mercado se extendería nada menos que hasta 1998, justamente el año en que Octavio Paz iba a dejar este mundo, muriendo su revista con él.

Ambas fueron publicaciones que, en su momento cada una, mantuvieron una coherencia en su línea editorial muy propia de su editor y director. Eran revistas absolutamente literarias y artísticas, sí, pero también eran publicaciones que, como el propio Octavio las definía, trataban de «estar abiertas al aire de su tiempo, atentas siempre a los problemas y temas de la vida y la cultura de los días que tocaba vivir, sin que se excluyeran de ellas, bajo ningún concepto, toda clase de asuntos públicos».

En los mismos años 70, iban a empezar a lloverle a Octavio Paz toda una serie de reconocimientos internacionales, de galardones de todo tipo, llegando de todas las partes del mundo, y que querían dejar constancia de su gran valía y premiar la obra inmensa de un autor que estaba muy por encima del nivel de su propio tiempo, y era ejemplo y guía a seguir por muchos otros literatos, ensayistas y poetas de todos los rincones del planeta.

Los galardones concedidos empezaron con el Premio del Festival de Poesía de Flandes, en 1972. A éste seguiría el Premio Jerusalén de Literatura, en 1977, así como el Gran Águila de Oro del Festival Internacional del Libro, en Niza, en 1979.

Eran grandes galardones, sí. Premios muy importantes para cualquier autor. Pero la cosa no había hecho sino empezar. Eran el prólogo, el pórtico a la auténtica etapa de oro de Octavio Paz como autor mundialmente reconocido y premiado, hasta el punto de ser el ganador de los más grandes premios literarios imaginables.

Eso aún estaba por venir. Aún tendría que editar muchas otras obras, durante la década de los 80, para empezar a recibir premios que en su juventud jamás imaginó sin duda poder alcanzar algún día, y que culminarían en los 90 con la verdadera cumbre de su carrera y de su propia vida.

Pero eso aún era el futuro. Un futuro inmediato, pero futuro al fin y al cabo.

Quinta Época
En la cumbre

Capítulo I

La década de los 70 no iba a ser solamente un período de reconocimientos, premios y galardones, sino también de nuevas y grandes obras surgidas de su fértil mente creativa. Octavio Paz se sentía posiblemente en la cumbre de su carrera, y de veras lo estaba, aunque aún le faltaban unos cuantos —muchos— peldaños por llegar hasta arriba.

Influenciado todavía por sus estancias en países de Oriente, se empeñó en traducir, por primera vez, obras de otros autores, y no hizo una elección fácil en ese sentido, puesto que se inclinó por autores japoneses especialmente, junto a algunos autores chinos, pero sin olvidarse de traducir también a sus autores favoritos en lengua francesa, inglesa, portuguesa e incluso sueca.

El primer autor japonés elegido para sus traducciones poéticas fue Matsudo Basho, e incluso probó fortuna traduciendo obras del dramaturgo rumano Eugéne Ionesco, que siempre escribió originalmente en francés y fue el auténtico creador del llamado «teatro del absurdo».

A Octavio Paz le fascinaba particularmente el extraño, peculiar sentido del humor de Ionesco, su sorprendente sentido común, aun dentro del presunto absurdo de su teatro, que daban el mismo una serenidad y firmeza altamente contagiosas. Ionesco, en el fondo, tenía una fe ilimitada en el hombre, y eso se notaba en su teatro, lo que hizo que Octavio deseara traducir al español aquella dramaturgia tan original y fuera de lo común.

Al iniciarse precisamente los 70, concretamente en 1971, recibía el Nobel de Literatura el que en tiempos pasados fuera su amigo, el chileno Pablo Neruda, que en 1950 había disfrutado también de su Premio Stalin de la Paz. Pero ni este galardón otorgado por el dictador soviético fue precisamente nada que envidiara el poeta mexicano, ni con motivo del Nobel varió de postura.

Ni siquiera envió un telegrama de felicitación a Neruda, con el que ya no había vuelto a tener la más mínima relación desde aquel lejano día de su violenta disputa, e ignoró por completo la concesión del máximo galardón de las letras al chileno, de cuyas ideas políticas, siempre fieles al marxismo bolchevique, él había renegado hacía ya mucho tiempo, y de las que cada vez había llegado a sentirse más y más lejano.

Por si todo esto fuera poco, Neruda había seguido mostrando en su obra poética aquella carencia de visión orientadora del hombre y de la vida que, junto con su escasa consistencia espiritual y humana, eran los peores enemigos de su poesía. Pese a ello, admitía que era un poeta de asombrosa facilidad creadora, pero del que personalmente, e incluso literariamente, se sentía tan lejano como si vivieran en diferentes planetas.

No, en el corazón de Octavio Paz nunca hubo un perdón para su antiguo amigo chileno. La suya fue una ruptura total, definitiva, que hizo pedazos lo que había sido una buena amistad.

Octavio seguía su peculiar ruta poética, siempre con una fidelidad total a sus principios humanos y vitales, así como con sus ensayos, cada vez más numerosos, que le iban labrando tanta fama como sus poemas, porque hay que reconocer que en Octavio Paz hubo siempre no tan sólo un poeta sensacional, sino un ensayista de primera fila, capaz de analizar los temas más difíciles y las personalidades más complejas.

En 1973 editaba *El signo y el garabato* y, dentro del mismo año, otra obra de ensayo como ésta, *Los hijos del limo: del romanticismo a la vanguardia,* aunque no se publicaría hasta 1974. Su fertilidad seguía siendo pasmosa, como si le faltara el tiempo para poder decir al mundo todo lo que llevaba dentro y quería expresar a través de sus obras.

Poco después, también en 1974, veía la luz un volumen suyo, en el que recogía una recopilación completa de sus traducciones de poemas de otras lenguas, como el inglés, el francés, el sueco, el portugués, el japonés e incluso el chino. Tituló su obra *Versiones y diversiones,* y tuvo una acogida excepcional, ya que era mucho el interés de su público por conocer sus traducciones de tan diversos idiomas y de autores tan dispares como los recogidos en aquel libro singular.

Pero Octavio Paz, como hombre inquieto y renovador que había sido siempre, también intentó, dentro del propio año 1974, un experimento literario harto complicado, que se salía de sus cauces habituales creativos, para entrar en un estilo indefinible y complejo, del que supo salir con su imaginación y creatividad excepcionales.

Se trataba de una obra, mezcla de ensayo, antinovela y poesía, en la que los senderos de la creación buscan reconciliarse, en forma de muy lúcidas reflexiones, acerca del lenguaje, los cuerpos y el resplandor del amor. Se editó con el título de *El mono gramático,* y no dejó de sorprender e incluso desorientar a sus más incondicionales seguidores, aunque había que reconocer al experimento una calidad fuera de toda duda, y la lucidez del autor brilla con todo el esplendor de que es capaz, y que es mucho, como bien saben sus fieles lectores y admiradores, e incluso, ¿por qué no?, admiten a regañadientes sus detractores.

Su capacidad de trabajar parece no conocer límites, y apenas se da un respiro surge de nuevo el Octavio Paz de siempre, con una obra diferente, con una creación renovada, con un fruto más de su inagotable actividad y de su inspiración más que probada.

Por ello, solamente un año después, en 1975, aparecía en las librerías su nueva obra, *Pasado en claro,* un libro de poesías que era, en realidad, una especie de itinerario poético pero también biográfico. En 1976, otra obra sigue a ésta, la titulada *Vuelta,* obra donde se incluía un poema trascendental en su creación poética, y un hito esencial en el conjunto de su amplísima obra. Se trata de su *Nocturno de San Ildefonso,* una especie de nostálgica, melancólica mirada atrás a sus tiempos de estudiante en la Escuela Secundaria, de los momentos difíciles de su padre, contando billetes en el banco, billetes que luego se habían de quemar.

En su *Nocturno de San Ildefonso* evoca lejanos días de su adolescencia:

«El muchacho que camina por este poema,
entre San Ildefonso y el Zócalo,
es el hombre que lo escribe:
esta página
también es una caminata nocturna.
Aquí encarnan
los espectros amigos,
las ideas se disipan.»

O vemos, en la misma obra, *Vuelta* (el nombre del libro ya lo dice todo), otro flash-back casi cinematográfico hecho poesía, cuando evoca aquellos momentos paternos en el Banco:

«Madura en el subsuelo
la vegetación de los desastres.
Queman
millones y millones de billetes viejos
en el Banco de México.»

Es la poesía hecha recuerdo. O el recuerdo hecho poesía, no se sabría bien cómo expresarlo. Era su personal «vuelta» a tiempos pasados, a lo que había quedado atrás para siempre, pero que seguía allí, grabado en su mente, de manera indeleble, y que ahora brotaba espontáneamente en sus poemas, en los que se hacía —o parecía hacerse— realidad tangible, imágenes que los demás acaso no captaran en su exacta dimensión, pero que él sí tenía siempre bien presentes en la memoria; más aún, en el sentimiento.

Como el día en que se marchó de casa, después de todo eso, después de la muerte de su padre, y en su poema *Adiós a la casa* quiso dejar constancia de ello:

«Es en la madrugada.
Quiero decir adiós a este pequeño mundo,
único mundo verdadero.»

Sí, en los poemas de Octavio Paz hay mucho de sí mismo, mucho de autobiográfico, dicho como solamente él supo decirlo. A través de su poesía se puede seguir el curso de su vida, de sus sentimientos, de sus recuerdos, de sus nostalgias, de sus ensueños de infancia y de juventud.

Tal vez por todo ello, fuese *Vuelta,* y con ella su «Nocturno de San Ildefonso», una obra capital para entenderle a él y entender lo que albergaba en su alma y en su mente. Octavio Paz no sólo no renegaría nunca de sus primeros tiempos, de sus años jóvenes, sino que los recordaría siempre, con lo agridulce de aquello que hemos aprendido a amar y a disfrutar, y lo hemos perdido para siempre. El día que nos damos exacta cuenta de esa realidad, es cuando sabemos que no hay vuelta atrás más que desde la nostalgia o el recuerdo. Y Octavio Paz siempre quiso que, al menos, la realidad imposible de su pasado cobrara forma con la belleza y la plástica emocional de su verso.

Tras esta obra maravillosa que fue *Vuelta,* Octavio Paz regresó por un tiempo a sus ensayos, actualmente tan frecuentes, tal vez para trabajar siempre en algo concreto, mientras en su imaginación iban tomando forma los inconcretos poemas que aún habían de brotar de su mente y de su pluma.

En 1978 publicaba un volumen con el largo título de *El ogro filantrópico: historia y política 1971-1978,* dedicado también al ensayo, como así mismo lo sería, ya en 1979, su otra obra *In/Meditaciones,* una amplia reflexión sobre literatura y poesía. Como se ve, Octavio no dejaba su actividad como ensayista fácilmente, y su calidad en este difícil género literario era tan grande como podía serlo en su propia creación poética.

De este modo, iba a terminar la década de los 70, tan prolífica para él, para entrar en la de los 80, donde no solamente se prolongaría su creatividad y sus febriles actividades de siempre, sino que empezarían a llegar los galardones que marcarían su camino definitivo hacia la cumbre.

CAPÍTULO II

ANTES de seguir adelante con la vida y la obra de Octavio Paz, tal vez sea conveniente hacer un alto en el camino para intentar ver más profundamente en el hombre, sin detenernos exclusivamente en su obra, tan variada como generosa, tan rica en matices como fértil de imaginación y creatividad.

Estamos siguiendo la trayectoria humana y profesional de un literato extraordinario, pero también la de un hombre muy especial y muy representativo de su tiempo. En su lucidez personal hemos podido ver cómo era capaz de adoptar las más revolucionarias de las decisiones, de sus ideas, para después irse atemperando a medida que estudiaba la realidad y descubría que muchas de las cosas que su juventud le hacía soñar no eran en verdad como imaginara.

Hemos visto cómo el marxista declarado de un principio, cuando ser marxista, prosoviético y admirador del bolchevismo ruso estaba de moda, se diluía en él en cuanto se encaró con realidades que no encajaban bien en su ideario ni en los postulados que recorrían el mundo.

Aquel joven que visitara España durante la Guerra Civil, convencido de encontrarse con la verdadera libertad del hombre, había descubierto que no todo era verdad en el fondo, y que incluso los auténticos republicanos y personas de izquierda, nada sospechosas de traición o mentira en sus ideas, eran acosados y hasta perseguidos por implacables comisarios soviéticos, tan peligrosos y tan radicales como pudieron serlo más tarde los agentes de la Gestapo alemana. La GPU y las SS, por ejemplo, no se diferenciaron demasiado, dijeran lo que dijeran los fanáticos del comunismo bolchevique, y eso Octavio Paz supo verlo muy claro cuando era aún muy joven.

Su ideario político izquierdista nunca cambió, porque él pensaba que la izquierda significaba la libertad del hombre, y el resto era explotación, capitalismo brutal y abuso de poder. Pero encontró los matices que diferenciaban notablemente la izquierda que el quería, la que querían amigos suyos, como Luis Cernuda o Gil-Albert, y la que propugnaban los hombres capaces de planificar fríamente un asesinato como el de Trotski, en nombre de la pureza marxista de un tirano implacable llamado Stalin.

Esas diferencias en los matices fueron las que le hicieron ganarse muchos amigos, amigos de verdad, pero también muchos enemigos, como fue el caso concreto de Pablo Neruda, siempre devoto fiel del comunismo de Moscú. A veces tuvo que luchar tanto contra los presuntos puristas de la izquierda como contra sus enemigos políticos de toda la vida, porque podían considerarle casi un traidor. Es lo que había ocurrido, por ejemplo, en aquel Madrid que recordaba con nostalgia, pese a los sacos terreros y a la proximidad del adversario franquista, cuya voz le era posible oír con tanta claridad como su risa, allí a pocos metros de sus camaradas del frente.

Fue entonces, aquel día, cuando se preguntó por qué el hombre tenía que matar al hombre en nombre de una ideología, y llegó a la conclusión de que ambos tenían el mismo derecho a la vida y a manifestar sus ideales. Empezaba entonces a descubrir la libertad, la verdadera libertad del ser humano, desprovista de lenguaje político y de propagandas ideológicas.

Por eso cambiaron tantas cosas en él a lo largo de su vida, y por eso, pese a su fidelidad de siempre a la causa de las izquierdas, que veía más próximas a la ansiada libertad humana que ninguna otra ideología, se fue despojando por el camino de todo lastre político y centró el ideario de su poesía en la simple liberación del hombre, en su albedrío para elegir y para pensar, sin dejarse engañar por las teorías de otros ilustres compañeros.

Se puede decir, por tanto, que Octavio Paz fue, desde muy joven, consecuente consigo mismo y con su pensamiento, que no se dejó manipular nunca, y que la grandeza de su poesía, como la de sus obras de ensayo, viene precisamente de su propia lucidez para saber distinguir entre lo falso y lo verdadero, entre lo ficticio y lo real.

Su larga estancia en la India le traería como resultado inmediato su experiencia en lo religioso de Oriente, que tendría su influencia en muchos de sus trabajos, como no podía ser menos, y también una visión distinta del hombre y de su circunstancia. No dudó en enfrentarse a las tradiciones literarias en boga, rompiendo con muchas de ellas sin dudar, por lo que no es de extrañar que se le considere como un autor que mantiene su postura personal e incluso su obra misma, en una perspectiva crítica de la modernidad.

Resulta difícil encontrar a un autor capaz de abarcar con igual lucidez y capacidad la poesía, las obras sobre poética, la crítica literaria y política, el arte, la antropología, la historia e incluso la biografía, y hacerlo todo bien. Octavio Paz consiguió ese milagro, y el mundo se lo reconoció sobradamente. No son muchos los escritores cuya obra haya sido traducida nada menos que a treinta idiomas y que haya dado pie a tan acaloradas discusiones y encontradas opiniones como el gran escritor mexicano.

Él logró todo eso en vida, alcanzó la cumbre de su carrera y recogió los más preciados galardones posibles en la obra de un creador. Si a ello añadimos que ejerció su carrera diplomática durante años, representando a su país en lugares tan diferentes como la India, Japón o diversos países europeos, tendremos sin la menor duda el retrato de un hombre polifacético y brillante, capaz de hacerlo todo bien, y además hacerlo en cantidad inconcebible, ya que su producción literaria son pocos en el mundo los que han podido igualar, y posiblemente nadie superar.

Aquella biografía que se iniciaba cuando apenas contaba diecisiete años, con sus primeros poemas publicados en el diario *El Nacional* de México, o en las páginas de la revista *Barandal,* iba a ser luego una densa y brillante sucesión de efemérides triunfales, a lo largo de muchos años de fértil y generosa inspiración.

Supo asimilarlo todo, y además asimilarlo bien, sabiendo siempre lo que quería hacer y cómo hacerlo, teniendo siempre algo que decir y seguro de cómo decirlo. Sus poemas y sus ensayos son el mejor empleo de todo ello.

Ése fue Octavio Paz, desde sus inicios hasta el final de su vida, activo siempre y siempre dispuesto a dar lo mejor de sí mismo a las gentes que lo leían. Ése fue el autor, el escritor, el poeta.

Pero la persona también fue importante, porque es difícil siempre ser fiel a uno mismo durante toda una vida, sin dejarse domeñar por nada ni por nadie, tratando de mantener incólume la independencia y de manifestar libremente la rebeldía cuando se terciara. Esa simbiosis entre el hombre y el escritor, entre el ser humano y el creador, es lo que caracterizó durante toda su vida a Octavio Paz.

Cuando pasó problemas y sufrió estrecheces, supo salir adelante sin venderse por unas monedas a nadie, buscando siempre una salida, a la espera de tiempos mejores. Tal vez eso lo había aprendido de su buen padre, aquel viejo zapatista revolucionario y romántico, que también supo luchar contra el infortunio en la época de las vacas flacas y fue ejemplo viviente para su hijo.

Por eso su desgarrador poema dedicado a la muerte y entierro de su padre, por eso su recuerdo emocionado en *Vuelta y* por eso la melancolía de su «Nocturno de San Ildefonso», tal vez. Porque era como un reconocimiento a quien le dio el ser y le enseñó las primeras lecciones de rebeldía y de dignidad humana, de libertad y de fe en que la revolución podía salvar al hombre. Tal vez fueran revoluciones distintas las que padre e hijo sostuvieron en sus vidas, porque también los tiempos eran otros, pero ambas tenían como fundamento definitivo permitir al hombre ser libre.

Y a eso sí que fue siempre fiel Octavio Paz, como a tantas otras cosas de las que estuvo en todo momento plenamente convencido, aun en contra de lo que todos los demás sostuvieran. Las armas de *su* revolución fueron la pluma y el papel, la inspiración y la poesía. Tuvieron razón aquellos antiguos milicianos de la República Española, en plena Guerra Civil, cuando le dijeron que un escritor era siempre más eficaz a sus ideas con la pluma entre los dedos que empuñando un fusil. Él entonces no acabó de entenderlo muy bien, ni siquiera cuando escribía en México sus obras en ardiente defensa de la República y de los españoles de izquierdas.

Pero era una gran verdad. Él, a su modo, había sido soldado al servicio de una causa justa, desde las trincheras de papel impreso, a golpe de pluma, trazando palabras, dando forma a sus ideas.

Era un modo de luchar por las libertades del hombre. Un hermoso modo de luchar como siempre lucharía aquel gran escritor y gran ser humano que fue el escritor de México, el gran Octavio Paz, orgullo de su país, pero también, a fin de cuentas, orgullo del mundo.

Capítulo III

Hecho este inciso sobre Octavio Paz y su persona, volvamos a la narración cronológica de su obra y de su creatividad, que hemos dejado en los finales de la década de los 70, con sus ensayos sobre diversos temas, para entrar en la década de los 80, que iba a traerle al poeta mexicano grandes novedades y experiencias inolvidables.

Ya muy avanzada su vida —en 1980 cumplía los sesenta y seis años—, se sentía tan vital y capaz como siempre, con una disposición para el trabajo que hubiera pasmado a muchos jóvenes. Octavio era un hombre infatigable, que vivía para crear, para escribir, y de la literatura hacía su fe, su religión, su meta soñada, sin que en ningún momento llegara a desfallecer por cansancio o por agotamiento, ya fuera físico o mental.

En estos momentos, como en los finales de los 70, su actividad seguía inclinándose sobre los ensayos, que parecían ocupar su tiempo con mayor asiduidad que la poesía. Como era tan gran ensayista como poeta, sus lectores no se sentían defraudados porque el maestro cultivara uno u otro género.

Así, en 1982, lanzaba la edición de uno de sus ensayos más discutidos y fundamentales, sobre un personaje mexicano harto controvertido, perteneciente al siglo XVII: Sor Juana Inés de la Cruz.

La obra se tituló *Sor Juana Inés de la Cruz o las trampas de la fe,* y en ese ensayo Octavio Paz hizo un lúcido examen del personaje, de su obra y de sus circunstancias, en especial en el orden religioso y poético. Para Octavio Paz, la poetisa y monja que contrajera la peste atendiendo a los enfermos, abusaba en sus poemas de la tradición culterana de autores como Góngora, y sus composiciones le resultaban artificiosas, aunque no le podía negar la ternura del lenguaje, quizá por su amor hacia los indios y, sobre todo, por su propia fe cristiana, que para Octavio no dejaba de ser una trampa en la que la poetisa caía con frecuencia, dotando a sus obras, ya fueran poemas u obras teatrales, de un sentimiento profundamente religioso que le quitaba frescura y espontaneidad.

La obra despertó polémica, sobre todo en las autoridades eclesiásticas, pero lo cierto es que Octavio Paz nunca ofendió ni atacó los valores cristianos ni los principios religiosos, sino simplemente hizo notar la influencia que éstos podían llegar a ejercer en una poetisa y prosista dominada por ellos.

En 1983 publicó dos nuevos ensayos, *Sombras de obras* y *Tiempo nublado,* insistiendo de este modo en lo que era en esos momentos su dedicación habitual, al margen de la poesía. La verdad es que ya iba a ser muy escasa la obra poética del autor, como veremos en sucesivas obras editadas por Octavio.

Era 1984 cuando veía la luz otra obra de ensayo, *Hombres en su siglo y otros ensayos.* Una obra en la que Octavio Paz recopilaba toda una serie de sus principales entrevistas, así como muchas de sus conversaciones, aparece seguidamente, en 1985, con el título de *Pasión crítica.*

Para algunos, era como si Octavio Paz empezara a cansarse un poco de escribir y recurriese a recopilaciones y reimpresiones, pero no sabían lo equivocados que estaban los que eso temían, porque el escritor seguía tan vivo como siempre, por poca que fuera su actividad poética.

Lo que sucedía es que a veces, repasando sus papeles, se encontraba con cosas poco difundidas, que pensaba que podían interesar a sus lectores, porque definían, mejor que sus otras obras, su modo de ser y de pensar. Ése había sido el caso de *Pasión crítica,* recopilación de la que se sentía personalmente muy satisfecho.

No, Octavio Paz no entraba en una etapa de cansancio, falta de productividad o crisis creativa. Ni mucho menos. Seguía siendo el Octavio Paz de siempre, con sus inquietudes, su pluma a punto y sus ganas de llenar hojas en blanco con su prosa enérgica o con su fácil y sonoro verso. Que cultivara algo menos esto último no quería decir nada. Cuando tuviera algo que decir, lo diría. Mientras tanto, prefería continuar con su labor ensayística, que también le entusiasmaba profundamente.

En realidad, tras publicar ese resumen de sus entrevistas y conversaciones, estaba trabajando con bastante intensidad en una nueva obra de poemas, y ésta sí que iba a ser la última que escribiera en vida, aunque eso él no pudiera saberlo entonces. Si lo sospechó o se lo temió, es otra cosa, pero es probable que tuviera aún mucha poesía por crear, allá en el fondo de su mente, cuando fue dando forma a este nuevo y último volumen de poemas de su existencia, y hasta pensó que algún día les daría forma. Ese día no iba a llegar nunca, pero nadie puede saber lo que le reserva el futuro.

Así, en el año 1987, como un desafío a quienes ya no pensaban que Octavio Paz fuera un autor capacitado para dar a la luz nuevas obras poéticas, aparecía *Árbol adentro,* su último libro de poemas publicado en vida de su autor.

Dentro de esa obra, formando parte de ella, se encontraba uno de sus más logrados y hermosos poemas, algo imprescindible para cualquier admirador de su arte creativo. Es la composición llamada *Carta de creencia,* tal vez el auténtico canto del cisne del gran poeta, sin él mismo saberlo.

Para entonces, Octavio Paz había alcanzado ya las más altas cotas de prestigio mundial. A los numerosos doctorados *Honoris Causa* que iba acumulando a lo largo de su actual trayectoria, se unían galardones de tan alto prestigio dentro de las letras hispanas como lo fue el Premio Miguel de Cervantes, en España, en 1982, un verdadero hito en su carrera, del que Octavio Paz se sintió particularmente orgulloso, porque él, que tan mexicano era y había sido siempre, se sentía también español por muchas razones, la menor de las cuales no era precisamente que por sus venas corriera sangre española por parte materna. También muchos de sus amigos y colegas habían sido españoles, y guardaba de ellos un recuerdo imperecedero, como el de su viejo amigo Luis Cernuda, fallecido muchos años atrás ya, en un lejano 1963, en Ciudad de México, donde permanecía aún exiliado por sus ideas republicanas.

Por eso el Premio Miguel de Cervantes le era tan querido y preciado a Octavio Paz. Era el reconocimiento, venido de España, de su gran obra poética, pero no iba a ser el último. La universalidad de Octavio Paz era ya un hecho, por mucho que él pretendiera ignorarla en su habitual modestia.

Tras la edición de su último libro de poemas, *Árbol adentro,* Octavio Paz dedicaría ya su tiempo a cultivar la prosa, ya fuera en forma de ensayo o de libros de otro tipo, aunque no renunciaría tampoco a que los editores publicaran volúmenes dedicados a su anterior obra poética, en recopilaciones o compendios.

Era comprensible, después de todo, aquella reducción drástica en su producción poética, tras tantos años de imaginar y crear poesía, de enriquecer su historial literario con tantas obras maestras como formaban el catálogo de su producción, de su creatividad constante, de un ritmo sostenido y a veces incluso llevado a extremos inconcebibles de saturación.

Prolífico siempre, incansable en todo momento, el artista, el autor, el poeta, incluso el prosista, necesitaba un descanso, una disminución gradual en su exultante generosidad y entrega de toda una vida.

Había demostrado con creces lo que era capaz de hacer, lo que había hecho. Otro, en su lugar, hubiera elegido ya el dulce retiro, el no hacer nada y vivir de las rentas de su gran creatividad literaria de décadas enteras.

Pero Octavio Paz no era así, nunca lo fue. Y por ello mismo no es de extrañar que, para asombro de propios y de extraños, siguiera difundiendo su palabra escrita a través de nuevas obras o de recopilaciones y antalogías de sus obras anteriores, siempre revisadas y corregidas por él, siempre con el autor en primera línea, mimando cada edición, cada libro que saliera a la luz.

Tras *Árbol adentro,* su última creación poética, volvió en 1988 a editar obras en prosa, también procedentes de otro tiempo, recopiladas bajo su personal supervisión, en el volumen titulado *Primeras letras (1931-1934),* donde recogía toda su amplia producción prosística de aquellos años, antes de la guerra fratricida en España, antes de tantas y tantas cosas como sucedieran en aquella inolvidable década de los 30 en su vida: aquella entrañable revista, *Taller Poético,* y aun antes de eso la remota y añorada *Barandal,* junto a Toscano, Martínez Lavalle, López Malo...

Eran los tiempos de lucha por la nueva poesía, de los días brillantes pero inciertos de los *Cuadernos del Valle de México,* de los viejos tiempos del radicalismo, del descubrimiento de la poesía de los otros grandes monstruos de la literatura, como Pablo Neruda —sí, el mismo Neruda que ya nunca sería luego ni admirado ni querido por Octavio—, del descubrimiento de gente como Borges o García Lorca, de los poemas de Pellicer o Villaurrutia, de sus primeros pasos como autor, con aquel curioso folleto de juventud llamado *Luna silvestre,* que entonces le pareciera lo mejor de lo mejor.

Eran los tiempos también en que Octavio descubrió que la defensa de la poesía era algo así como la defensa de la libertad. De cuando los ideales políticos llenaban su alma de soflamas entusiastas y de sueños de un idealismo imposible.

Todo aquello lo quiso plasmar en su antología de 1988, recogiendo aquellas «primeras letras» entre el 31 y el 34. Para él, recopilar todo aquello ahora, en un libro, a sus sesenta y pico de años, tan lejos ya de aquella adolescencia maravillosa y soñadora, era un trabajo lleno de nostalgias y de recuerdos, de evocaciones y de regresos al pasado, como una constante *Vuelta,* aquella obra suya, *Vuelta,* que había reflejado su deseo entrañable de una breve pero sentida «vuelta» a los tiempos de San Ildefonso, de los primeros pasos literarios, de las reuniones políticas enfebrecidas, de los anhelos de «modernidad» que pretendían romper con el inmovilismo de otras generaciones.

Gran parte de aquella adolescencia quedaba reflejada en su antología de ahora, y eso es lo que Octavio Paz había buscado con la reedición de sus textos en prosa de entonces, que curiosamente adquirían como una nueva vigencia en tiempos tan diferentes. Tal vez porque lo que entonces escribiera lo hizo con el alma puesta en ello, y para el alma, cuando es verdadera, el tiempo no pasa y el pasado, el presente o el futuro son como un mismo lugar en el espacio y en el propio tiempo.

Animado por el éxito de esa antología en prosa de sus viejos escritos adolescentes, se decidió a llevar a cabo otra recopilación de trabajos suyos, esta vez poéticos, aunque adelantándose, y mucho, en el tiempo, ya que su nueva antología de poemas se iniciaba, sí, en los años 30, concretamente en 1933, pero se prolongaba nada menos que hasta el mismísimo presente de 1988.

La obra recibió, pues, por título *Obra poética (1935-1988),* y ahí sí que estaba todo —o casi todo— lo que era la poesía de Octavio Paz, de principio a fin. Desde sus primeros pasos juveniles, desde el descubrimiento de la poesía en su adolescencia lejana, hasta su actual madurez, serena y tranquila.

Lo mismo que con la anterior recopilación de los escritos en prosa, sus poemas alcanzaron un notable éxito de ventas y de crítica, porque para muchos era descubrir a un Octavio Paz al que no conocían, y para otros era redescubrir sus inicios, seguir de nuevo su proyección adulta y llegar hasta el fecundo presente. Era la vida misma del poeta, hecha poesía viva, hecha historia a través de sus propios poemas.

Era como si todo aquello no significara trabajo alguno, sino un paréntesis de descanso en el escritor, pero lo cierto es que su tarea en tales menesteres era tan exhaustiva como si lo publicado fuera nueva poesía, nueva creación, ya que no cejaba de estar encima de la selección previa, de las pruebas en la imprenta, del resultado definitivo de la edición, hasta dar el visto bueno a todo ello y admitir que el volumen reunía las condiciones que él exigía.

Los editores se admiraban muchas veces de la tenacidad y constancia, de la meticulosidad y de la insistencia con que el escritor se preocupaba por la reedición de sus obras, mimando cada extremo de las mismas con parecida ilusión a la del novato que ve, por primera vez, publicada en páginas impresas su primera obra.

Octavio Paz era así, siempre había sido así, y los años no podían cambiar su indomable forma de ser, como no lo había conseguido anteriormente ninguna otra circunstancia de su vida, por complicada y adversa que hubiera sido.

Capítulo IV

PRECISAMENTE en el año en que editaba su antología poética, *Obra poética (1933-1988)*, le iba a llegar a Octavio Paz otro galardón importante que reconocía sus méritos literarios, su obra de toda una vida, y en esta ocasión sería el Premio Alexis de Tocqueville, en 1989, que venía a refrendar los méritos ya conseguidos en 1982 con la concesión del Miguel de Cervantes en España.

Era el reconocimiento del mundo a la obra de un gran escritor, de un hombre que había llegado a la cumbre definitiva de su carrera, aunque él mismo pareciera no darse cuenta de ello ni conceder importancia a su privilegiada situación en el mundo de las letras.

Seguirían en breve otros premios, que iban a reforzar, si cabe, la leyenda viviente que Octavio Paz era en la prosa o en la poesía sin distinciones. Seguía reuniendo doctorados de diversas universidades y menciones honoríficas de muchos centros culturales de todo el planeta, y del mismo modo que los años 80 iban a terminar para él tan triunfalmente, los 90 iban a ser todavía más brillantes y generosos con su persona, aunque todo lo que estaba por venir se lo había ganado a pulso a lo largo de toda su vida.

Los méritos de Octavio Paz no eran flor de una día, sino el fruto de una labor constante, continuada, especialmente intensa y fructífera, por lo que no era de extrañar que su nombre sonase, y mucho, para la concesión del más grande galardón al que podía aspirar cualquier escritor: el Premio Nobel de Literatura.

No tuvo que esperar demasiado para conseguir tan alto honor: el propio año 1990, inicio de la nueva década, cuando el escritor ya contaba con la avanzada edad de setenta y seis años, la Academia sueca decidía por unanimidad conceder el Nobel de Literatura al escritor mexicano Octavio Paz, según palabras de la propia Academia, «por su escritura apasionada y de amplios horizontes, caracterizada por una inteligencia sensual y por la integridad de su humanismo».

Ése era el fallo de los académicos suecos. Breves palabras que, tal vez, no expresaran del todo bien los grandes méritos acumulados por el premiado para ser merecedor de tal galardón, y pasar así a la galería de nombres ilustres merecedores de recibir tan honrosa distinción a nivel mundial.

Lo cierto es que en aquel 1990, inicio de una nueva década para la intensa vida del poeta, no podía empezar mejor para el escritor mexicano, que tal vez nunca soñó, allá en los viejos tiempos del colegio de San Ildefonso, llegar tan lejos, tan arriba. El muchacho soñador e inquieto que entonces anhelaba parecerse a los grandes ídolos de su niñez y de su adolescencia, se veía ahora, al fin, encumbrado hasta un punto insospechado, hasta límites que jamás imaginara al iniciar sus primeros pasos por tan difícil y arduo camino, rumbo a la gloria.

Y la gloria, por fin, había llegado para él.

La gloria era aquel premio sin parangón, aquel momento solemne en que los aplausos acogieron la entrega del galardón soñado, y Octavio Paz se vio como centro de un universo que, sin darse apenas cuenta, él mismo había ayudado a edificar con la grandeza de sus poemas y la belleza de su prosa. Se premiaba en ese momento al mejor representante de la literatura en el mundo.

Y el mejor, en ese preciso instante, era él.

* * *

Después, a partir de 1991 en concreto, Octavio tomó la decisión de llevar a cabo una magna obra editorial, bajo su directa y personal supervisión. Se trataba de dirigir, de forma simultánea, en España y en México, la edición de sus *Obras Completas.*

Se trataba en realidad de una enorme tarea, un proyecto gigantesco, que comprendería una edición en quince volúmenes de todo cuanto Octavio Paz escribiera a lo largo de su fecunda vida literaria.

Era tal el proyecto, que todavía en la actualidad siguen en fase de publicación, sin haber sido completado totalmente, ni en México ni en España. Dentro de esa magna producción literaria, y por expreso deseo de su autor, el tomo número 12, que es el que incluye todos sus últimos poemas, no recogidos en edición alguna, ni publicados nunca en ninguno de sus libros poéticos, sean publicados única y exclusivamente cuando se termine la colección, como un verdadero apéndice de gala dentro de la magnitud total de esa antalogía única.

Ese deseo expreso de Octavio Paz va a ser respetado, lógicamente, y será en ese ansiado tomo 12 donde podremos, *post mortem,* conocer las verdaderas últimas creaciones literarias en poemas de su insigne autor. Evidentemente, será el mejor homenaje que todo lector fiel a Octavio Paz pueda dedicarle, y así mismo será como un acontecimiento *in memoriam* que, en cierto modo, nos dará la medida de su inmortalidad, la confirmación del hecho, tantas veces repetido, de que la obra del hombre, cuando es una obra maestra, sobrevive siempre a su creador, y eso sí es la verdadera inmortalidad, cuando todo lo demás que era puramente físico ha dejado de existir y, como en una ocasión escribió el propio poeta —con motivo de la muerte de su padre, recordémoslo—,

«Huesos, trapos, botones:
montón de polvo súbito,
a los pies de la luz.»

Del polvo queda sólo eso, el polvo. De la obra, de la creación, de las ideas, quedan siempre todas ellas, como la parte viva del hombre, la que no puede morir.

Pero este proyecto de Octavio Paz nacía en 1991, mucho después de que otros grandes acontecimientos tuvieran lugar en su vida durante el período inmediatamente anterior a la puesta en marcha de su magno intento antológico. Y también después, paralelamente a la edición gigante de toda su obra, iban a ser otros muchos los momentos ilustres y las efemérides brillantes en la vida del poeta.

El flamante Premio Nobel de Literatura, apenas recibido éste y asimilada la grandeza del suceso, se enfrascó de nuevo en sus trabajos, incansable y fértil, sin dormirse nunca en sus laurales, inconformista e inquieto como siempre lo fuera durante toda su vida.

No importaba que contara ya con setenta y seis años de edad cumplidos. Su vitalidad no conocía edades, era capaz de trabajar con el mismo entusiasmo de su juventud aunque a veces, lógicamente, notara síntomas de cansancio o de agotamiento, y la naturaleza le recordara, implacable, que el tiempo no pasa en vano y que, aunque la mente y la voluntad sigan despiertas, el organismo le recuerda siempre a uno que ya no es el mismo de los años mozos, de los tiempos juveniles, ni siquiera de la radiante madurez de todo creador, sea artista o literato.

Ahora, tal vez como muestra de que su inspiración poética ya no estaba tan fuerte, o un poco cansado de tanto imaginar y dar forma a su poesía, se volcaba, sobre todo, en los libros de ensayo, tal como venía haciendo desde hacía tiempo, aunque con resultados óptimos, siempre a su misma altura, sin experimentar decadencia o pérdida de calidad en ningún momento.

Dedicaba muchas horas de la jornada a inclinarse sobre el papel e ir analizando, estudiando, desmenuzando sus impresiones, criterios y estudios sobre muy diversos temas, ya fueran relativos a la política, a la historia, e incluso a la propia poesía, que tan cercana le quedaba.

Por ello no es de extrañar que, pese a todo, fuera entregando con asombrosa regularidad y frecuencia sus nuevas obras a los editores, que tenían asegurada la venta de cualquier nueva obra firmada por aquel Octavio Paz, siempre destacado y admirado autor, pero ahora envuelto en el oropel deslumbrante de su Premio Nobel.

Incluso en ese período, echó de nuevo la vista atrás —siempre la evocación o la nostalgia, cuando uno ha recorrido ya casi todo el camino y sabe que es poco el que le queda por recorrer— y volvió a escribir sobre el Oriente y los lejanos países que conociera en su etapa de diplomático, así como también dedicó una serie de obras que no eran sino estudios del erotismo y de la sensualidad, vistas desde Oriente o desde Occidente, encaradas con la lucidez que era habitual en su autor.

Como se ve, pues, aun en la última década de su vida, Octavio Paz, ya en la cumbre del mundo literario, no dejó nunca de trabajar y de crear, de estudiar y de analizar, para después, con una prosa tan magistral como su poesía, llenar páginas y páginas con su inimitable estilo.

Sexta y última época
Al final del túnel

Capítulo I

Todo tiene su final. Incluso lo más hermoso y lo más grande. Es ley de vida, y nada ni nadie escapa a ello. Octavio Paz tampoco podía ser una excepción, y él lo sabía mejor que persona alguna, porque si algo tuvo siempre sobrado fue la lucidez y el buen juicio.

Sabía ya que, tarde o temprano, iba a llegar al final del camino o, como él mismo escribiera una vez, allá por su juventud, en uno de sus poemas,

«al final del túnel».

Tal vez él entonces hablaba de otro túnel, no de aquel que uno encuentra al final de su vida, en el tránsito definitivo hacia el otro lado, aquel del que ya nunca se vuelve. Pero ahora sabía que ese al que se refería era el último, el de su propia vida, que en cualquier momento podía ya tocar a su fin. Los 80 estaban muy cerca y ésa es ya una edad en la que uno empieza a vivir como de prestado, una especie de propina que Dios o la propia vida le da, a la espera del momento inevitable.

No era un hombre fatalista, ni mucho menos. No iba a sentarse plácidamente a esperar el final, ni iba a mantenerse pasivamente quieto y resignado contando los días, los meses o los años que Dios quisiera concederle todavía.

Su razón estaba ágil y despierta, su imaginación funcionaba como una máquina perfectamente engrasada, y sus ansias de trabajo no cesaban. Por ello, en la década de los 90, a pesar de todo, Octavio Paz siguió siendo el Octavio Paz de siempre. Es decir, el que llenaba cuartillas con infatigable ritmo, el que trabajaba sin cesar, como si en ello le fuera la vida, aquella vida que tan generosa había sido con él, tal vez porque de algún modo tenía que recibir la compensación a su propia generosidad creativa.

Ya hemos dicho que, tras recibir el Premio Nobel, siguió adelante como si tal cosa, publicando sin cesar ensayos y obras en prosa, acerca del mundo histórico, político o poético indistintamente. Ya antes de la concesión del Nobel, en 1990, había dado a la luz su libro *La otra voz: Poesía y fin de siglo, pequeña crónica de grandes días.*

En 1991, coincidiendo con el galardón de la Academia sueca, editó otro ensayo brillante, titulado *Convergencias,* y al año siguiente, en 1992, lanzaba su otra obra, *Al paso.*

No se puede negar que su ritmo de producción seguía siendo igual o superior a sus mejores épocas, y que la frecuencia de aparición de sus obras resultaba tan sorprendente como admirable, puesto que ya nada tenía que demostrar al mundo él, que lo había demostrado ya todo en esta vida, pero que pese a ello proseguía creando con el entusiasmo propio de la juventud.

Ésa es, sin duda, una de las facetas admirables de su trabajo, entre otras muchas: la entrega a la que fuera su vocación desde siempre, desde que, siendo todavía un niño, soñaba con llegar a ser poeta, desde aquel momento en que renunció a estudiar toda carrera, para ser sólo poeta, marchándose de casa cuando supo que su padre había muerto. Desde aquel remoto día en que remontó el vuelo, y como diría en su poema *Adiós a la casa* —incluido en su libro *Libertad bajo apalabra*—,

> *«Es en la madrugada.*
> *Quiero decir adiós a este pequeño mundo,*
> *único mundo verdadero.»*

Entonces sólo quiso ser poeta. Y revolucionario, eso sí.

Andando el tiempo, del revolucionario ya quedaría poco, salvo su amor y su defensa por la libertad del hombre por encima de todas las cosas. Pero había logrado su sueño de entonces: ser poeta.

Y ese sueño, que se había hecho fecunda realidad, seguía vivo sin duda en la ya cansada mente del hombre casi octogenario, pero aún vital, luchador y obstinado, casi sesenta años después de aquel lejano día en que abandonara todo, estudios universitarios, casa, familia, absolutamente todo, para enfrentarse al mundo y tratar de ser lo que quería ser.

Fundó una revista literaria, a la que tituló también *Vuelta,* como uno de sus más grandes libros poéticos. Era de nuevo la llamada del pasado, la evocación de los tiempos que se fueron, de todas las cosas entrañables que habían quedado atrás. Era la «vuelta» a todo ello, en alas de su imaginación de poeta.

Precisamente por su labor al frente de esa revista, así como por la totalidad de su gran obra poética, en 1993 volvía a recibir uno de los más prestigiosos galardones de las Letras españolas, y nuevamente en España, adonde viajó para recoger de manos de la familia real española el Premio Príncipe de Asturias.

Era otro de los grandes reconocimientos a su valía literaria, que Octavio Paz recibió con su sencillez de siempre, como quien se considera abrumado por la recepción de algo que no merece, cuando en realidad muy pocas personas reunían los méritos de él para obtener ese galardón a un escritor de lengua española. Era otro de los grandes homenajes del mundo a uno de sus más preclaros autores, a un hombre que lo había dado todo, que lo había hecho todo, y todo bien.

Por si ello fuera poco, la lluvia de grandes galardones no cesaba ahí. Los franceses también reconocían en 1994 sus inmensos méritos, concediéndole una de sus distinciones más grandes a un escritor extranjero: la Gran Cruz de la Legión de Honor de Francia. Era una emoción más para el ya anciano Octavio Paz, que precisamente ese año alcanza los ochenta.

A partir de ese momento, aún con la gloria reciente de la Gran Cruz francesa en sus manos, sabía bien que el tiempo empezaba para él su implacable cuenta atrás. Era inexorable ley de vida y, posiblemente, en su interior, mientras recibía ese nuevo galardón que hacía justicia a tantos y tantos años de lucha en el mundo de la poesía y de la prosa, pero sobre todo de la primera, por su mente pasara, como en unas imágenes cinematográficas ya amarillentas y gastadas por el tiempo, viejos y emotivos recuerdos:

La calle de Goya, donde él vivía en Mixcoac, entre corpulentos árboles y edificios de aire severo, la cercanía de la calle de la Campana, que iba a unirse en su final con el río Mixcoac...

La vieja estación de tranvías, con su puesto de periódicos, los pequeños comercios y las cantinas. Y allí cerca, muy cerca, la escuela primera para chicos, *su* escuela primaria, destartalada y entrañable, sobre todo cuando se veía desde la perspectiva de los años, de los muchos años transcurridos...

Sí, Octavio Paz pensaría en todo eso, como una evocación llena de ternura y de nostalgia, como un celuloide rancio que pasara antes sus ojos, con viejas y nunca olvidadas imágenes: los grandes tranvías amarillos, ruidosos, que llevaban hasta el Zócalo; la Escuela Secundaria en la calle de Marsella, en la colina Juárez; aquel vetusto caserón digno de la literatura tétrica de Henry James...

La misa de los domingos, las chicas que reían y le acompañaban al cine o a comer dulces por ahí... Los conciertos de Bellas Artes, las caras de los grandes ídolos en la luneta: Urrutia, Diego Rivera, Frida Khalo... Todos ellos ya idos para siempre, ya lejos, al otro lado del túnel...

Las revueltas estudiantiles, las primeras tentaciones políticas, las ideas revolucionarias, los gritos de «¡Viva Vasconcelos!», las detenciones, las huelgas...

Y luego las lecturas emocionadas, los grandes autores sustituyendo las aventuras de Dumas o de Salgari, los nombres admirados y nunca bien entendidos entonces de Kafka, de Eliot, de Lawrence...

Después vendrían los otros: Malraux, Borges, Neruda —el maldito Neruda, seguía diciendo aún, sin haber perdonado al viejo ex amigo—, Pellicer, Novo...

Y todavía después los demás: los españoles Cernuda y García Lorca, Alberti, los «Contemporáneos»... Huxley, Gide... Y tantos y tantos otros nombres idolatrados entonces por el poeta incipiente, ávido de gloria, ansioso por emular a sus ídolos...

Ahora, todo eso era pasado, simple recuerdo. Él lo había conseguido. Era poeta. Y el mundo entero se lo reconocía, los premios y galardones se acumulaban en su estudio, rodeándole como un cerco de glorias conseguidas después de tanto sueño y de tanto anhelo alimentados a través del tiempo.

Sí, las evocaciones, los recuerdos, eran muchos. Octavio Paz no luchaba seguramente contra ellos, sino que, como ocurre siempre, le servían de estímulo constante para seguir siendo quien era, para seguir siempre adelante, no importaba cuándo ni cómo, pero siempre trabajando, creando, imaginando, soñando realidades.

Por eso seguía laborando incesantemente. Por eso de su pluma no cesaban de surgir nuevas obras, cuando otros muchos, con menos años, se hubieran dado ya por vencidos y admitirían que habían hecho cuanto les era humanamente posible y ya no se les podía pedir más.

A él no necesitaban pedírselo sus lectores, sus incondicionales. Se imponía él mismo la férrea disciplina necesaria para seguir escribiendo incansable, para seguir dando obras al mundo, para continuar siendo el Octavio Paz de siempre.

Por eso la década de los 90 fue precisamente tan rica en nueva producción suya. Era un hombre incansable. Durante aquellos años lanzaría obras como *La llama doble: amor y erotismo* y su otra obra sobre el tema del amor, *Un más allá erótico;* obras donde la sensualidad nunca estaba reñida con la exquisitez de su estilo y con la ternura de sus puntos de vista, y que, aun sin ser obras poéticas, no dejaban de contener un claro trasfondo de poesía en su forma y en su estilo.

Es más, en 1994 se atrevería a escribir un minucioso estudio sobre un personaje tan controvertido como fue siempre Donatien Alphonse, el marqués de Sade. En su obra —*Sade,* 1994— analiza la vida y obra de ese escritor francés, famoso no sólo por el hecho de ser escritor, sino porque su existencia libertina y sus actividades políticas durante la Revolución francesa iban a ser motivo de escándalo durante muchos años... y aún colea la historia en nuestros días.

Era un tema difícil, que Octavio Paz no dudó en abordar, estudiando de forma desapasionada su obra, sus orgías y sus máximas «moralistas», fruto de un pesimismo dieciochesco.

Pero Octavio Paz iba más allá en su empeño, y fue uno de los que trató siempre de rehabilitar literaria y personalmente a Sade, tal vez por sus influencias surrealistas —los surrealistas han sido siempre los grandes defensores del marqués de Sade—, ya que, a juicio de Octavio Paz y de muchos otros, el verdadero «pecado» del personaje no fue otro que el de rebelarse contra todas las prohibiciones. Y la rebeldía es algo que se paga a un precio muy alto ante la sociedad e incluso ante la Historia; eso bien lo sabía Octavio Paz.

Tampoco esta sorprendente obra, que iba a despertar el escándalo previsible entre un gran sector de los lectores, como el propio autor esperaba, mientras otros aceptaban con entusiasmo los puntos de vista del escritor, decimos que tampoco esta obra iba a ser la última en la carrera literaria de Octavio Paz.

Aún le quedaba cuerda para mucho más, y aunque el período siguiente lo dedicó más a reunir de forma antológica sus obras anteriores, lo cierto es que no dejó de ser él quien hiciera las correspondientes selecciones e incluso dirigiera su edición.

A pesar de ello, todavía tuvo tiempo para escribir uno de sus más lúcidos libros sobre sus experiencias personales lejos de México, en su etapa de funcionario diplomático y en su conocimiento de mundos distantes, donde tanto aprendiera de cara a su carrera poética posterior.

Capítulo II

Ya hemos aludido anteriormente, en su momento, el largo período vivido por Octavio Paz en tierras de Oriente, llevado por sus actividades de diplomático, en especial cuando fue destinado como embajador de México en la India, donde pasaría nada menos que seis años, tiempo suficiente para conocer a fondo el país, imbuirse de su cultura y de sus creencias, y dejarse influenciar, quisiera o no, por el misticismo oriental, sobre todo en su obra poética.

En esos años 60 llegó a publicar hasta cuatro obras poéticas de profunda influencia oriental, como fueron *Viento entero, Blanco, Discos visuales* o *Ladera este,* de los que ya hemos hablado en su momento. Pero aunque después regresara a México y rompiera con su carrera diplomática por los sucesos de Tlatelolco, el poso oriental había quedado dentro de él, y a veces había surgido espontáneamente en su obra posterior, casi sin darse cuenta.

La cultura y el mundo de la India siempre han sido un fuerte influjo sobre la persona occidental, sobre todo cuando llega a entrar en todo ello y conoce a fondo los misterios mismos de tan fascinante país. Octavio Paz había tenido ocasión para todo ello, y bien que lo demostró en sus trabajos.

Por todo ello, ahora, muchos años después de su experiencia en la India, todo el encanto del lejano país volvía a su mente sin duda alguna, hasta el punto de inspirarle otra obra en prosa, que editaría en 1995: *Vislumbres de la India* fue su título, y en ella evocaba muchos de los temas que habían tocado su sensibilidad y dejado huella profunda en él desde aquellos lejanos tiempos.

Se puede considerar, ahora sí, que su *Vislumbres de la India* es ya el auténtico canto del cisne de su producción literaria, al menos de sus trabajos en prosa, como lo fuera antes en el campo de la poesía su libro *Árbol adentro,* en 1987, última obra poética publicada en vida de su autor, puesto que sabemos que aún nos queda el tomo número doce de sus *Obras Completas* como legado final y obra póstuma del escritor, donde aparecerán sus poemas inéditos.

Tras ese ensayo suyo sobre la India, ya no se registran nuevas ediciones, nuevas obras, sino solamente diversas antologías donde se reúnen diversos temas de su obra total. Unos son recopilaciones de sus poemas, otros de sus ensayos o de sus obras en prosa, y así todo lo demás.

Por ejemplo, sus ensayos publicados originalmente en 1971 salieron de nuevo a la luz, recopilados en un libro que llevaba por título *Los signos en rotación y otros ensayos,* así como una antología de escritos suyos en torno a los temas del surrealismo y otros afines, en *La búsqueda del comienzo,* que databan de escritos cuya primera edición tuvo lugar en 1974.

Ya era evidente que el autor no tenía fuerzas suficientes para seguir adelante con aquel frenético ritmo de trabajo de toda su vida, y su salud no era lo suficientemente buena como para enfrentara una y otra vez a la realización de nuevos trabajos. Eran los primeros signos de debilidad del gigante, el presagio de que las cosas ya no eran igual ni iban a serlo nunca más, por mucho que intentase mantener una actividad perceptible en la revisión de sus libros antológicos y en la forma de ser editados.

Pero eso no era igual que seguir creando, que continuar dando a luz nuevas criaturas de su fertilidad literaria. Paulatinamente, sus obras habían ido siendo más esporádicas, y ahora ya no aparecía ningún título nuevo que añadir a su extensísimo catálogo de producciones poéticas o en prosa.

Sus incondicionales comprendían claramente lo que eso significaba. Era inevitable aceptarlo, porque era ley de vida: su ídolo se extinguía al fin. Y aunque aún durara su vida unos años, ya no serían esos años productivos de siempre, sino unos pocos de espera. La espera de lo inevitable. El final del túnel estaba cerca, de eso todos podían darse cuenta, con una mezcla de dolor y de decepción.

Salió a la calle una recopilación en tres volúmenes que llevaba por título genérico *México en la obra de Octavio Paz,* que recogía trabajos del autor editados en 1987; pero, aunque importante la edición, no dejaba ya de ser una antología más de su obra anterior, como lo eran otros libros que se podían encontrar en cualquier librería, reuniendo escritos suyos, ya fueran en prosa o en verso, pero nada realmente nuevo y original.

Octavio Paz no se sentía ya como antes. Su fortaleza no era la misma, su salud no era buena, y los años pesaban como una losa demasiado grande para sobrellevarla. Quería escribir, pero no siempre le era posible. Dejaba inconclusos muchos trabajos, incapaz de centrarse en ellos con la necesaria inspiración y claridad de ideas. No, ya no era el mismo, no podía serlo.

A veces se sentaba en su estudio, enfrentándose a aquellas páginas en blanco que antes no habría tenido esfuerzo alguno en llenar con su verso fácil o su prosa fluida, y comprendía que era difícil seguir adelante, dar forma a lo que pensaba. Su imaginación volaba a otros tiempos, a aquellos en que había creado su «Nocturno de San Ildefonso», por ejemplo. A la fundación de aquellas revistas literarias que pretendían romper moldes y sembrar nuevas ideas en los inconformistas, a los poemas revolucionarios, a sus tiempos del surrealismo, junto a André Breton, cuando publicó lo que él llamara «su primer libro de verdad», *Libertad bajo palabra,* una obra que, pese a haberse escrito en 1949, aún se mantenía vigente, como si acabara de ser escrita en este mismo momento.

No podía sentirse insatisfecho de sí mismo, había hecho lo que más había deseado hacer, y al parecer lo había hecho bien. Lo que no le satisfacía realmente era la inactividad de ahora, la limitación de sus facultades, el no poder enfrentarse al peor de los enemigos del hombre, la edad. Al peor adversario del creador, el agotamiento mental y anímico.

Le era difícil aceptarlo. Había luchado contra eso durante mucho tiempo, e incluso había salido vencedor en esa lucha. Pero ya no era igual que antes. Como aquella vieja casa solariega de su familia, la casa del abuelo don Ireneo en Mixcoac, él también se derrumbaba poco a poco. Recordaba cómo las grietas iban salpicando los viejos muros lentamente, cómo la vegetación de los jardines subía y subía, llegando incluso a invadir las habitaciones.

Aquella enredadera que de pronto penetró por la ventana de su propio dormitorio y escaló las paredes de la habitación, como signo de vejez y de decrepitud...

Él también empezaba a sentirse algo así como aquella antigua casa familiar, donde transcurriera su infancia y donde empezara a despertar a sus sueños aún no materializados en nada concreto, pero sueños a fin de cuentas. A él también le crecían los rastrojos de su jardín, a él también le empezaba a escalar la hiedra, las enredaderas del tiempo llegaban a las habitaciones de su mente, como síntoma inequívoco de vejez implacable.

* * *

En México se guardaba un respeto profundo, una admiración sin límites por su hijo predilecto, aquel Octavio Paz que había llevado el nombre de su patria y la literatura de su pueblo y de su tierra hasta los últimos confines del mundo y hasta la cima misma del prestigio y el reconocimiento internacionales.

Por ello no es de extrañar que en muchos estamentos oficiales naciera la idea de dedicar a su preclaro hijo una fundación que llevase su nombre y perpetuara a través del tiempo la vida y la obra de Octavio Paz.

El proyecto prosperó, bien acogido por el propio interesado, que pidió colaborar activamente en él, contribuyendo con su propio esfuerzo a que esa fundación fuera un día realidad, aunque él no estuviera presente para verlo.

Pero Dios quiso ser justo con el hombre que llegara tan alto y tan lejos en el mundo de la literatura, y permitió que Octavio Paz viera en vida ese proyecto convertido en realidad.

La Fundación Octavio Paz —de la que muchos de los datos aquí recogidos ha sido fuente proveedora, como lo es de otras muchas iniciativas mundiales en torno a la figura del maestro— fue fundada en México el 17 de diciembre de 1997. Una solemne ceremonia de apertura presidió el acto, y en ella estuvo presente Octavio Paz, muy pocos meses antes de que, como su poema decía,

«estoy a la entrada de un túnel»,

y por ese túnel desapareciera para siempre.

Capítulo III

Terminó así el mes de diciembre de 1997, y el propio año por tanto, con la existencia de la Fundación Octavio Paz en México. Se iniciaba 1998, que iba a ser el año definitivo para el titular de esa fundación, el señalado para la última etapa de un viaje que llegó a durar ochenta y cuatro años cumplidos, pero que había llegado inevitablemente a su final.

Octavio Paz se sentía ya muy fatigado, exhausto casi, y sabía muy bien que ya quedaba poco tiempo. Repasaba a veces sus viejas notas, sus antiguos escritos, y las manos le temblaban, sin responder apenas a los impulsos de su mente.

Recordaba, a no dudar, sus días en San Ildefonso, la Escuela Nacional Preparatoria, repleta de murales de Rivera, de Siqueiros, de Chartlot, de Orozco. Y recordaba, como él mismo dijera en su día, que ni siquiera en San Ildefonso lograron que aquel muchacho cambiara de piel o de alma. Para el joven Octavio de entonces, esos años no significaron un cambio, sino el comienzo de algo que aún, posiblemente, no había terminado ni siquiera ahora, una especie de búsqueda circular que, durante toda una vida, no había sido sino un perpetuo empezar.

Y ese comienzo significaba, ni más ni menos, que encontrar la razón, las causas, de esas continuas agitaciones que nosotros, los hombres, llamamos *historia.*

Él mismo lo escribió un día, recordando esos tiempos de San Ildefonso, precisamente en una de sus obras maestras, incluida en su libro *Vuelta,* «Nocturno de San Ildefonso»:

«Barrio dormido.
Andamos por galerías de ecos,
entre imágenes rotas:
nuestra historia.
Callada nación de las piedras.»

Aquellos viejos tiempos de la juventud inclinada hacia el marxismo, tan de moda entonces... La Unión de Estudiantes Pro Obrero y Campesino, las confusas ideas revolucionarias...

Entonces ellos no sabían bien de qué iban esas cosas, pero todo ello rompía con el sistema, y por eso mismo les atraía y les gustaba, aunque no entendieran una palabra de política y de ideologías. También su gran poema hablaba de todo ello, de ideas y de utopías que luego el tiempo —implacable enemigo siempre—, se llevaría consigo:

«Las ideas se disipan,
quedan los espectros:
verdad de lo vivido y padecido.
Queda un sabor casi vacío:
el tiempo
—furor compartido—,
el tiempo
—olvido compartido—
al fin transfigurado
en la memoria y sus encarnaciones.»

Nunca mejor expresado lo que fue el entonces y lo que había sido el «después». El tiempo, siempre furor, siempre olvido, según Octavio Paz. Y como único residuo de todo, la memoria del hombre.

Su memoria. La misma que ahora le traía esos viejos recuerdos, esos ensueños juveniles, ese ayer tan lejano ya, cuando todo estaba aún por hacer. Y ahora que todo estaba ya hecho, quedaba eso, precisamente: la memoria, el tiempo...

Eran los inicios de 1998. La llama se extinguía poco a poco y él lo sabía bien. Por eso dirigía la vista atrás, como tal vez hacemos todos en esos momentos en que sabemos que el final del camino está ahí mismo, delante de nosotros.

* * *

Estamos al final de la historia. La historia de un hombre, de un poeta, de un literato, de un escritor, de un creador. La historia de un auténtico genio de las letras, posiblemente uno de los hombres más grandes que ha dado México.

Queda ya tan poco por decir, que es como no tener ya nada que decir. Y, sin embargo, es tanto lo que puede decirse sobre Octavio Paz, hombre, escritor, literato, creador o poeta, que no habría sitio suficiente en mil libros como éste para hacer justicia a su memoria ni para hacer un fiel reflejo al menos de su persona, y menos aún de su enorme obra.

Hemos seguido lo más cerca posible la trayectoria del hombre, desde su infancia hasta su vejez, desde sus principios hasta su inevitable final, como ser humano que era. Desde sus inicios en la vida hasta que ésta le dio por terminado su cupo de vivencia real entre nosotros. Desde aquella niñez inquieta, removida ya por incertidumbres e ilusiones, hasta su madurez total como escritor y, posteriormente, su declive final hacia el mutis inevitable que a todos nos toca seguir un día u otro.

Y a través de esa larga trayectoria de ochenta y cuatro años largos de vida fecunda, creativa, rica en proyección universal, hemos ido conociendo paso a paso no solamente al Octavio Paz poeta o prosista, revolucionario o independiente, surrealista o dadaísta, realista o utópico, contenido o sensual, comprensivo o crítico, amigo de sus amigos o enemigo de sus enemigos, comprensivo o intolerante, defensor o crítico, que de todo hubo en su larga vida, pero siempre bajo un hermoso común denominador, ensalzado ya por William Shakespeare en su inmortal *Hamlet:* ser fiel a sí mismo.

Echando la vista atrás, no es ciertamente fácil comprender cómo Octavio Paz pudo ser, en todo momento, fiel a sus principios y a su sentido de la libertad y de la independencia del hombre como base y origen de todas las cosas justas de esta vida.

Piénsese en la época convulsa que le tocó vivir, complicada ya desde sus mismos principios. Un niño nacido en 1914, justo al filo de la Primera Guerra Mundial, en plena guerra revolucionaria mexicana, en los tiempos en que Pancho Villa en el norte y Emiliano Zapata en el sur eran los ídolos supremos de un México convulsionado por las ansias de justicia de un gran sector del pueblo llano, sometido a los oligarcas, los tiranos y los caciques, apoyados por los gobiernos de turno.

Un niño con sangre mexicana y española en su venas, en una mezcla natural, pero no por ello realmente explosiva, llegado el caso. Un niño cuyo padre era zapatista acérrimo, revolucionario convencido, entregado a la causa de los rebeldes, al liderazgo del gran Emiliano, ídolo de campesinos y obreros.

Por contraste, un niño del mundo burgués, con su casa solariega, su buen abuelo, culto y amante de la lectura, con una tía imaginativa y fantasiosa, con un mundo en derredor que parecía idílico y sin problemas, allá en el Mixcoac de entonces, entre escuelas primarias y secundarias financiadas por el Estado, mezclando sus estudios con los naturales correteos bajo el sol de las calles de la zona, los juegos con los compañeros de clase, las subsiguientes inquietudes literarias de cariz primario, satisfechas con las lecturas juveniles de los héroes de ficción de los libros de aventuras, ya fueran en lejanos mundos asiáticos o en tierras europeas, en ambientes de capa y espada. Ése era el Octavio Paz niño, mientras la Primera Gran Guerra se terminaba, la Revolución mexicana continuaba, hasta el fin trágico de sus grandes mitos, y los gobiernos nativos proseguían con su política de injusticias y de grandes fracturas sociales.

Pero la vida de Octavio Paz adolescente tampoco iba a resultar fácil, porque el mundo a su alrededor era cambiante, y una nueva era parecía apuntar en el horizonte, para romper con un pasado muy diferente y caduco. Eran aquellos años 20, llenos de promesas, con la convulsión que el incipiente marxismo-leninismo de la Unión

Soviética iba a crear en la juventud, no ya de México, que quedaba bastante lejos por cierto de Moscú, sino de todo el mundo.

La política, durante unos años, se entremezcló tanto en las actividades de los jóvenes, que los estudios se vieron condicionados inevitablemente por ella. Sus inclinaciones se decantaron, obviamente, hacia posturas radicales, no siempre justificadas, pero propias del momento. Las revueltas estudiantiles, las huelgas, las represiones policiales y todo lo que marca los momentos de transición de una época a otra, se dieron en abundancia en esos tiempos.

Octavio Paz no podía ser ajeno a todo ello, porque era un estudiante inquieto y un muchacho ávido de nuevas emociones y de sentimientos distintos a los de una gran mayoría. Por ello no es de extrañar que su inclinación al marxismo entonces triunfante, y en apariencia auténtica panacea de todas las injusticias sociales y económicas del mundo, fuera poco menos que cantada.

A través de su literatura, y sobre todo de su poesía, Octavio Paz fue definiendo esos diferentes estados de ánimo y esas tendencias ideológicas, del mismo modo que la definían en sus grandes murales los pintores mexicanos de la talla de Diego Rivera, David Alfaro Siqueiros o José Clemente Orozco, igualmente ganados por el naciente marxismo.

Pocos serían los que se librarían de esa influencia, ya que también escritores geniales como el chileno Pablo Neruda o el francés André Malraux se vieron captados por la misma y se convirtieron en ardientes defensores y abanderados de la doctrina bolchevique que venía de Moscú.

Pero otros, a la vista de determinadas circunstancias, serían capaces de evolucionar y mantener su ideología por naturaleza izquierdista, pero sin caer en la trampa falaz del marxismo representado por Stalin y su camarilla.

Mientras algunos seguirían fieles a Moscú hasta el final —caso de Rivera, aunque con reservas; de Siqueiros, de Neruda y otros—, habría gente desencantada, como Malraux y, por supuesto, también como el propio Octavio Paz, que ya en España, en la España republicana de la contienda civil del 36 al 39, descubriría allí mismo lo que era el intervencionismo y la represión soviéticos, incluso sobre miembros indiscutibles del republicanismo más extremo.

Allí, en los años 30, comenzaría Octavio Paz a variar su rumbo ideológico, a despojar a su poesía del lastre de la política, y a descubrir que la única verdad incontrovertible radicaba pura y simplemente en la libertad del hombre para ser quien era, y en la ausencia de frenos e imposiciones para convertirle en un esclavo de cualquier principio dogmático. Eso es lo hermoso de Octavio Paz, y también lo difícil, porque no era tarea sencilla en esos períodos cambiantes y bastante inciertos, de movilizaciones políticas, ideológicas y sociales, saber bien dónde estaba lo aprovechable y dónde lo deleznable.

Él supo siempre diferenciar una cosa de otra y saber lo que estaba acorde con su propia conciencia como hombre y como escritor. Fue un rasgo de lucidez que no se dio en una sola ocasión, por casualidad, sino que se repitió en toda su vida, a lo largo de los diferentes lances en que le tocó distinguir y elegir.

Del mismo modo, llegado el momento, no iba a dudar en manifestarse abiertamente contra su propio Gobierno, ya en México, rompiendo su propia carrera diplomática por diferencias con los estamentos oficiales, a raíz de los lamentables sucesos de Tlatelolco contra los estudiantes mexicanos. Aquella especie de «Tiananmen» chino, en versión mexicana, dejó tan profunda huella en la conciencia de Octavio Paz, que consideró llegado el momento de abandonar todo nexo de unión con gobernantes capaces de esos excesos. Hoy en día se hubiera dicho que su decisión era, en esos momentos, «políticamente incorrecta», pero eso a Octavio Paz le traía perfectamente sin cuidado, y no dudó en tomar su firme decisión contra muchas opiniones, incluso de amigos íntimos, que le aconsejaban no definirse demasiado claramente en tan vidriosa cuestión. Pero él era siempre quien era, quien había sido y, por fortuna, quien seguiría siendo hasta el fin de sus días, y no se echó atrás en ningún momento, manteniendo su renuncia.

Poco o nada le importaba el disgusto del Gobierno, la irritación de ciertos sectores oficialistas e incluso de altos dignatarios de la nación. Él era fiel a sus principios, a su conciencia; lo había sido desde muy joven, y en ese momento crucial no iba a cambiar de modo de ser por mucho que le presionaran y por mucho que pudiera molestar a sus propios gobernantes.

Todo esto da una idea muy exacta de cómo fue Octavio Paz a lo largo de su vida. Del mismo modo que sería capaz de recibir en el futuro los más grandes galardones mundiales de las letras sin apenas inmutarse, se sentía capacitado para tomar sus propias decisiones, para seguir su camino sin desviaciones, sin sometimientos ni influencias de nada ni de nadie.

Todo esto había sucedido, es cierto, entre los primeros años de su vida y los años 60, pero precisamente ése iba a ser el período más difícil y complicado para que el ser humano fuera capaz de expresar su independencia y su sentido de la libertad. El mundo entonces no era el de ahora, no estaba demasiado habituado a la rebeldía del hombre ante su entorno.

El mundo salía de la Segunda Guerra Mundial, se enfrentaba a los peligros inmediatos de la «guerra fría» y del marxismo convertido, como por obra y gracia de una identidad maligna, de libertador del hombre y de sus aspiraciones, al riesgo cierto de una posible dictadura a nivel planetario, inspirada en el feroz estalinismo. En eso había desembocado la utopía comunista, y el mundo se dividía en esos momentos en una sociedad occidental supuestamente libre y otra de ideología soviética, también supuestamente esclava y sometida.

Los términos, como se ve, se habían invertido, aunque no todos aún aceptaran esos principios como algo indiscutible y siguieran existiendo ideólogos del marxismo que pensaban igual que antes. Desde luego, Octavio Paz nunca se contó entre éstos, porque hacía tiempo ya que sus puntos de vista sobre el tema habían variado de modo considerable, aunque continuara siendo, y fuera siempre, un idealista de la izquierda, si bien bastante despolitizado. Era hombre siempre abierto a los nuevos tiempos, a los aires nuevos, preocupado por la cultura y por los problemas de una nueva época, de unos tiempos que poco o nada tenían que ver con los anteriores, preocupado por las cuestiones que afectaban a la sociedad, pero sin estar demasiado seguro de que esta o aquella tendencia política fuera la panacea milagrosa capaz de resolver los dilemas del hombre y de la sociedad en general.

Capítulo IV

A no dudar, el Octavio Paz de sus últimos meses, cuando hiciera balance de su vida antes de presentarse ante Dios, debió sentirse realmente satisfecho de sí mismo, porque si alguien ha sido consecuente durante toda una existencia, con su modo de ser y de pensar, ese alguien sin duda alguna fue él.

No debió sentirse arrepentido de nada, ni siquiera de sus posibles errores, porque éstos, en cierto modo, lo que hicieron fue ponerle en contacto con ciertas formas de expresión que le eran ajenas y a las que su innata curiosidad y afán de novedades le hicieron tener acceso, aunque fuera con un fracaso.

¿Por qué había de arrepentirse él, por ejemplo, de que su aventura teatral hubiera terminado en fiasco? Hubo un momento, allá por los años 50, cuando aún duraba su primer matrimonio con Elena Garro, en que la escena le atrajo, como una experiencia nueva e interesante, y de su pluma surgió aquella obra, *La hija de Rappaccini,* que tan poco representó en su carrera literaria, si es que alguna vez representó realmente algo, cosa bastante dudosa.

La experiencia fue de su agrado, aunque los resultados distaran mucho de complacerle, y al menos aprendió la dura lección de que el hombre, el creador, no siempre sirve para todo de la misma manera, y siempre puede existir algo que se le resista y para lo que no esté realmente dotado. Ése fue su aprendizaje con el teatro, y por ello se apartó del mismo, aunque le gustaba sobremanera, y prosiguió su camino literario de antes, sin sentirse afectado por el error. Su poesía estaba fuera de toda discusión, y su prosa lejos de toda duda; de modo que por ese lado nada le afectó de forma seria, y su trayectoria no sufrió ningún altibajo, como dejó bien demostrado en inmediatas obras lanzadas al mercado, ya fueran poéticas o en prosa.

Todo ello no hace sino engrandecer la figura de Octavio Paz, el gran estandarte cultural mexicano, no sólo de su tiempo, sino posiblemente de todos los tiempos, desde aquellos lejanos días, pongamos por caso, de la bien estudiada —precisamente por Octavio Paz, entre otros— de Sor Juana Inés de la Cruz, otra figura cumbre de la literatura de México, aunque muy distante en el tiempo —y también en la obra— de la del hombre de quien estamos hablando en este libro.

La madurez de Octavio Paz no pudo ser por otro lado más fértil ni productiva, con gran abundancia de obras editadas entre los años 70 a 90, lo que sin duda alguna demuestra que la verdadera época de oro del escritor no es solamente su juventud pujante, como se pudiera pensar, sino también su espléndida madurez. De esa época iban a surgir no solamente traducciones de poetas de diversos idiomas y mentalidades, sino también de numerosos ensayos, poemas y trabajos de todo tipo.

Hay que tener en cuenta que algunas de las calificadas como auténticas «obras maestras» de la inspiración de Octavio Paz vieron la luz precisamente en ese período avanzado de su vida. Si no, ¿qué decir, por ejemplo, de su extraordinario «Nocturno de San Ildefonso», perteneciente a su volumen *Vuelta,* en 1975?

¿Qué hablar, pongamos por caso, de su imprescindible y portentosa «Carta de creencia», contenida entre otros textos en su libro de poemas editado nada menos que en 1987, *Árbol adentro,* tantas veces mencionado?

Ese libro, precisamente —*Árbol adentro*—, contenía también fragmentos en prosa, dignos de una antología de la obra de Octavio Paz, como puede ser aquel párrafo que dice:

«El surrealismo ha sido el clavo ardiente en
la frente del geómetra y el viento fuerte que

a media noche levanta las sábanas de las vírgenes...
... El surrealista ha sido el puñado de
sal que disuelve los tlataconetes del realismo socialista.»

¿Prosa? A veces no se sabe si lo escrito por la pluma de Octavio Paz es realmente prosa o poesía en forma de prosa, tales son sus expresiones y la singular musicalidad de su lenguaje único e irrepetible.

Pero todo esto no viene sino a demostrar lo que antes hemos señalado. Con su madurez, llegó su esplendor. E incluso con su vejez, ese esplendor distó mucho de apagarse.

Al menos, así sucedió en el terreno de lo puramente literario, que siempre sobrevive a su autor.

Porque él, el hombre, Octavio Paz como ser humano, había llegado al fin al término de su viaje, tal vez al «final del túnel» que él mencionó en uno de sus poemas.

Eso sucedió el 19 de abril de 1998, cuando Octavio Paz tenía ya ochenta y cuatro años y unos pocos días.

Ése fue el día de su muerte.

Conclusión

El 19 de abril de 1998. Casi en el final del siglo XX. Ése fue el día en que Octavio Paz desapareció para siempre, en la misma ciudad donde viera la primera luz: en México Distrito Federal. Fue una fecha de luto para México, para Europa, para el Oriente incluso, que él había comprendido tan bien. Una fecha de luto para el mundo entero.

Octavio Paz se había ido, y con él, la figura cumbre de las letras, un auténtico monstruo literario como seguramente habrá pocos ya en la historia.

La pérdida la lloraríamos todos, de uno a otro confín, porque si alguien, siendo profundamente mexicano, profundísimamente hispano, supo ser también enormemente universal, ése fue sin lugar a dudas Octavio Paz. No importa que escribiera poemas, ensayo, prosa, lo que fuera. Lo suyo era, es, irrepetible.

El hombre que ganó el Cervantes, el Príncipe de Asturias, la Legión de Honor, el Nobel, se había ido del mundo como el personaje de alguno de sus inconfundibles y hermosos poemas, también como si el halo de tristeza y de melancolía que teñía algunos de sus escritos le hubiera envuelto para el viaje final, para el mutis sin retorno por aquel túnel que no se sabe adónde va, pero que sólo se cruza una vez, y en una sola, única, dirección, para no regresar por él nunca más.

Sí, el hombre se había ido. El niño de la escuela primaria de Mixcoac, el muchacho rebelde y revolucionario de San ildefonso, el joven inquieto de los tiempos del comunismo, el lector insaciable de Eliot, de Lawrance, de Camus, de Huxley, de Alberti, el amigo entrañable de Cernuda, de Gil-Albert, el creador de revistas literarias, el renovador de los «Contemporáneos», el amante del surrealismo, el diplomático en Europa, en Oriente, el rebelde contra el Gobierno en los difíciles días de los hechos de Tlatelolco, el intelectual de *Plural* o de *Vuelta*, el ganador de los grandes galardones internacionales...

Se había ido todo aquello, porque todo aquello tenía un nombre y una misma identidad: Octavio Paz. Pero quedaba su obra, imperecedera y eterna, como ocurre siempre con los grandes creadores. Ellos pueden morir, porque son humanos y ése es el destino final de todos, pero su obra queda, permanece entre nosotros, como un legado de belleza y de grandiosidad que ninguna clase de muerte puede destruir, a menos que caiga sobre ella el olvido.

Y la obra de Octavio Paz nunca podrá conocer el olvido, porque es algo vivo, palpitante, eterno. Escribió en épocas diferentes, de distintas modas y formas cambiantes, pero escribió siempre lo que él sentía, escribió para el hombre de cualquier época, porque en definitiva tanto sus poemas como su prosa hablan del hombre sin tiempo, para el ser humano en definitiva intemporal, eterno, con sus necesidades humanas de libertad, de independencia, de amores o de odios, de espiritualidad o sensualidad, de emociones y sentimientos que son lo mismo que ayer, como serán lo mismo mañana, y como lo son hoy, en el presente.

Ése fue el gran poder de su pluma. Supo despojarla de toda sombra de oportunismo, como había sabido limpiarla de las influencias de la política, para enfocar solamente el sentir de las personas y de las gentes, alejándose de posibles demagogias del momento, que hubieran empañado su intemporalidad.

Sí, Octavio Paz había abandonado el mundo, llamado por la Parca, por la misma que aquel lejano y doloroso día se llevara a su padre en una estación ferroviaria mexicana y le inspirara unos dolidos versos y le empujara a elegir el camino de la poesía como ruta de su vida.

Esa ruta la siguió Octavio Paz con firmeza, sin desviarse un ápice de sus convicciones y de sus ideas, sin traicionarse jamás a sí mismo, por lo que difícilmente pudo traicionar alguna vez a los demás, manteniendo una fidelidad a sus principios que eran norma y guía de todo su trabajo.

México entero lloró su muerte aquel triste mes de abril de 1998, casi en las puertas ya de un nuevo siglo XXI en que a nosotros nos toca vivir todavía, recordando su obra, reviviéndola día a día, que es en cierto modo una forma de darle también a él, a su autor.

Pero no fue solamente México quien lamentó la marcha del hombre, del escritor, del poeta. Fue, como hemos dicho, el mundo entero, porque el hombre es el mismo en todo el planeta, tiene los mismos problemas, las mismas ambiciones, los mismos deseos e idénticas frustraciones. Por eso todos le comprendían. Y le siguen comprendiendo.

Incluso aquellos trabajos suyos influenciados por el surrealismo tienen tal belleza de lenguaje, tal riqueza de imágenes poéticas, que todos podemos entenderlos y sentirlos un poco nuestros, porque en el fondo nos refleja a nosotros mismos.

Sus funerales fueron una enorme manifestación de duelo que tal vez le hubiera conmovido, aunque él nunca fue amigo de las grandes conmemoraciones y supo ser el de siempre incluso cuando le eran entregados premios como el Cervantes de las Letras españolas, o el Nobel por su trayectoria literaria. Pero el pueblo era quien celebraba esta vez la manifestación de dolor por la pérdida del escritor amado y admirado, y él ya no podía oponerse sino, en todo caso, desde «el otro lado del túnel», dar las gracias a quienes habían sabido comprenderle y admirarle. A quienes en definitiva le daban aquel adiós sentido y lleno de sinceridad.

Así se cerraba toda una vida. Así se terminaba la última etapa en la existencia de un hombre que quiso, sobre todo, comprender al hombre. Y que pedía solamente libertad e independencia, libre de ideologías y de colores políticos, simplemente exigía el derecho del ser humano a elegir quién quiere ser y adónde quiere ir, sin que nadie le obligue.

Por eso renunció a muchas cosas en su vida o se apartó de otras en las que había empezado creyendo. Por eso predominó en él el humanismo y el apasionamiento, la amplitud de horizontes, su inteligente modo de ver y de amar a sus semejantes.

Por eso Octavio Paz, nacido y muerto en la misma ciudad de México, pese a todo el mundo que en vida recorrió, como símbolo que fue de su país, de la literatura mexicana, de las Letras hispanoamericanas, como defensor a ultranza del lenguaje común a hispanoamericanos y españoles, dejó un poco huérfano a su querido México cuando se fue para siempre.

Porque hombres de su talla nacen pocos. Muy pocos. Y México puede tener ya para siempre, con legítimo orgullo, la satisfacción inmensa de haber contado con un hombre como él, como ese Octavio Paz cuya senda por esta vida hemos intentado recorrer, aunque sea brevemente.

A MODO DE APÉNDICE

TERMINEMOS la obra como mejor puede terminarse, tratándose de un hombre como Octavio Paz: con un fragmento, uno más, de cualquiera de sus bellos poemas:

«Todos hemos sido,
el Gran Teatro del inmundo,
jueces, verdugos, víctimas, testigos,
todos
hemos levantado falso testimonio
contra los otros
y contra nosotros mismos.
Y lo más vil: fuimos
el público que aplaude o bosteza en su butaca.»

Una vez más hemos de recurrir a uno de los pasajes incomparables de una de sus obras maestras, una de las más sentidas que jamás escribiera el poeta. Su «Nocturno de San Ildefonso», del libro *Vuelta,* como ejemplo de lo que fue siempre su obra, y más en esta evocación entre dulce y amarga de su paso por San Ildefonso, que es como hablar de su paso por una juventud, una adolescencia que ya nunca iba a volver, y que recordaba en sus últimos años con especial ternura y afecto.

Nada como su propia obra, como ejemplo de lo que fue y de lo que quiso ser y quiso decir. Por ello, en muchas ocasiones, a lo largo de este recorrido por su vida, hemos acudido a sus poemas para ilustrar del mejor modo posible el retrato humano, literario y creativo de su protagonista.

Con Octavio Paz no ha sido necesario tomar posturas ni adoptar simpatías o antipatías personales. Fue siempre un humanista transparente, sin dobleces, al que se debe admirar precisamente por eso, y al que no se le puede encontrar una objeción digna de tal nombre, porque él nunca pretendió engañar a nadie, ni con su obra, ni con su persona.

Amaba la libertad del ser humano, su libre albedrío, incluso en momentos concretos de su vida en que creyó hallarse ante un presunto enemigo capaz de matarle a él o de morir a sus manos —¡aquel instante histórico en el frente de Madrid, a menos de un metro de distancia de un soldado enemigo, oyendo su voz, sus risas!—, y que le desengañó de muchas cosas y le hizo ver clara la ruta de su vida y de su obra. A partir de ese momento hemos visto que se despojó de muchas ideas prefijadas, para pensar por sí mismo y ver la mentira de la política, de lo que separa a los hombres en vez de unirlos.

Y aunque siempre fiel, como es natural en un hombre amante de las libertades; aunque siempre leal a un izquierdismo bien entendido, ya nunca quiso escuchar la demagogia de los partidos, ni los dogmas de fe de unos o de otros, evitando proselitismos y buscando tan sólo la expresión de la verdadera libertad.

Sí. Ha sido una hermosa experiencia seguir el curso de la vida y de la obra de un hombre como él, la verdad. Ha sido como un bálsamo para esas heridas que todos, de un modo u otro, sufrimos o hemos sufrido en nuestra vida, víctimas de intolerancias, incomprensiones o injerencias de nuestra libertad personal.

Por ello, tal vez se note en estas páginas un especial cariño hacia la figura de Octavio Paz, aparte de la natural admiración que su literatura produce a cualquiera que tenga un mínimo de sensibilidad. Porque un hombre como él no puede sino despertar simpatía en el que bucea en su vida y en sus sentimientos.

Si hemos acertado en seguir esa senda de toda una vida dedicada a la literatura, eso ya es otra cosa. Pero voluntad no nos ha faltado, y nuestro deseo es que el lector sepa ver, al final del relato, una imagen clara y precisa del hombre que fue Octavio Paz, al margen incluso de su prosa o de sus poemas, de sus ensayos y de sus trabajos literarios de todo tipo, que tanto enriquecieron las letras de la lengua española, común a su tierra y a la de sus ancestros maternos, España.

Sí, México puede sentirse muy satisfecho de haber dado al mundo a un hombre como él. Su fundación hará bien en difundir lo más posible su magna obra por todo el planeta, y ensalzar para siempre el nombre de esa gloria de las letras que ha sido Octavio Paz.

Esta humilde aportación nuestra sería demasiado poco como homenaje o recuerdo al maestro que se nos fue para siempre. Hace falta que muchos otros evoquen su persona, repitan sus poemas, divulguen por todas partes la grandeza de su obra. Con esa esperanza nos quedamos, seguros de que la propia inmortalidad de sus creaciones va a ser el mejor legado que deje Octavio Paz a la humanidad actual y, sobre todo, a la del futuro.

No abundan ya los poetas, los escritores como él, desgraciadamente. En una especie de crisis cultural de nuestro mundo de hoy, son pocos los que surgen para romper moldes, encararse a fórmulas manidas o intentar cambiar las cosas que ya no son vigentes.

Tampoco abundan los que luchan hasta la extenuación por la libertad del ser humano, hasta el extremo de comprometerse seriamente en esa lucha, aunque uno tenga las de perder. Un egoísmo y una incomprensión muy peligrosas parecen anidar en el hombre de fines del siglo XX y en los inicios del XXI. Las nuevas tecnologías, los avances científicos y técnicos, parecen deshumanizar a los pueblos y hacerles olvidar que aún existe la literatura, la prosa o la poesía, y que no todo han de ser máquinas, progreso tecnológico y el dominio de esas mismas máquinas sobre el pensamiento del hombre, supremo don que Dios nos ha dado, y que parecemos dispuestos a malgastar.

Octavio Paz conoció el inicio y auge de esas tecnologías de vanguardia que rigen nuestro presente y, aunque no las ignoró, advirtió de los peligros de someterse a ellas como si fueran nuevos dioses dispuestos a esclavizarnos.

Es probable que algún día todo vuelva a sus cauces, pero de momento seguiremos sufriendo una grave crisis de talentos creativos, de personas capaces de una creación literaria amplia, profunda y sensible.

Surgirán algunos, qué duda cabe, pero la indiferencia de las nuevas generaciones por la literatura, la poesía o la prosa, va a ser difícil de salvar.

Tal vez si nacieran nuevos Octavio Paz, las cosas pudieran mejorar un poco, pero eso sí que va a ser difícil en los momentos actuales que vive el mundo, embriagado con la televisión, los ordenadores, la tecnología de los *chips* y la lectura de pantallas fluorescentes, como si los libros no existieran o fueran un apéndice inútil de nuestra civilización.

A uno le aterra pensar que Bradbury, por ejemplo, tenga razón en su pesimismo, al escribir su *Farenheit 451,* donde las autoridades queman los libros para que la gente no lea. Aunque dentro de esa pesimista visión de la sociedad nos deje la esperanza de los textos literarios, de los clásicos repetidos de boca a boca, permitiendo sobrevivir a los libros gracias a la palabra, no deja de ser sintomático que cada vez se lea menos en todo el mundo, como una plaga negativa que a todos nos afecta.

Es en momentos así cuando uno, casi desesperadamente, echa la vista atrás y busca un libro, una obra impresa, donde leer algo escrito.

Y si ese algo es un bellísimo poema o un lúcido ensayo firmado por un hombre como Octavio Paz, a uno le vuelve la esperanza de que el mundo no puede olvidar nunca, por muchos que sean sus avances científicos y tecnológicos, lo que significa una obra escrita con sensibilidad y con alma, unas simples páginas impresas donde, tal vez, nos encontremos a nosotros mismos, gracias a hombres como Octavio Paz.

En su eterno descanso, el maestro sabe que su palabra nunca podrá ser olvidada, porque es como un mensaje al hombre, como un diálogo con su lector, a quien le desnuda su propia alma y, casi sin darse cuenta, nos ayuda a desnudarnos la nuestra y vernos a nosotros mismos tal como somos, o tal como debiéramos ser.

Por eso, y sólo por eso, gracias maestro.

Gracias, Octavio Paz.

ÍNDICE

Cuarta época
Diplomacia y galardones

Quinta época
En la cumbre

Sexta y última época
Al final del tunel

Títulos publicados en esta colección

Emiliano Zapata
Juan Gallardo Muñoz

Moctezuma
Juan Gallardo Muñoz

Pancho Villa
Francisco Caudet

Benito Juárez
Francisco Caudet

Mario Moreno "Cantinflas"
Cristina Gómez
Inmaculada Sicilia

J. María Morelos
Alfonso Hurtado

María Félix
Helena R. Olmo

Agustín Lara
Luis Carlos Buraya

Porfirio Díaz
Raul Pérez López-Portillo

José Clemente Orozco
Raul Pérez López-Portillo

Agustín de Iturbide
Francisco Caudet

Miguel Hidalgo
Maite Hernández

Diego Rivera
Juan Gallardo Muñoz

Dolores del Río
Cinta Franco Dunn

Francisco Madero
Raul Pérez López-Portillo

David A. Siqueiros
Maite Hernández

Lázaro Cárdenas
Raul Pérez López-Portillo

Emilio "Indio" Fernández
Javier Cuesta

San Juan Diego
Juan Gallardo Muñoz

Frida Kahlo
Araceli Martínez

Octavio Paz
Juan Gallardo Muñoz

Anthony Quinn
Miguel Juan Payán
Silvia García Pérez

SALMA HAYEK
Vicente Fernández

SOR JUANA INÉS DE LA CRUZ
Juan M. Galaviz

JOSÉ VASCONCELOS
Juan Gallardo Muñoz

VICENTE GUERRERO
Jorge Armendariz

GUADALUPE VICTORIA
Francisco Caudet

JORGE NEGRETE
Luis Carlos Buraya

NEZAHUALCOYOTL
Tania Mena

IGNACIO ZARAGOZA
Alfonso Hurtado